『となえて おぼえる 漢字の本』
～使いかた～

① 漢字ファミリーのシンボルマークです。下村式では、漢字をなりたちのテーマで12のグループに分けました。（126ページ「漢字ファミリー分類表」参照）

② 見出しの漢字です。本書では漢字を漢字ファミリーごとに、関係の深い順に配列してあります。

③ 部首・画数のほかに、「下村式 はやくりさくいん®」による、漢字の「型」と「書きはじめ」をしめしました。（123ページ参照）

④ 訓読みをひらがな、音読みをカタカナでしめしました。訓読みの細い字は送りがなです。（ ）は小学校で習わない読みかたです。

⑤ 漢字の意味と熟語例をしめしています。意味がいくつもある場合には❶❷…とし、意味ごとに熟語を分けてしめしました。

⑥ 読みや送りがなの注意です。
● 特別な読み…文化庁の定める「常用漢字表」の付表にのっている、特別な読みかたをすることばをしめしました。そのうち（ ）は小学校で習わないことばです。〈都道府県〉は都道府県名に使われる読みです。
● 読み方に注意…④にしめした読みかた以外で読むことばなどをしめしました。
● 送りがなに注意…使いかたによって送りがなに注意が必要なことばをしめしました。

⑦ 漢字が絵から、どのようにできたのかをしめしました。漢字のおおもとの意味や組みたてを、下村式独自の新しいくふうと解釈でわかりやすく説明しています。

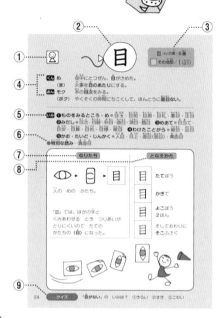

⑧ 漢字の書き順の流れを、下村式の「口唱法®」で、絵かきうたのようにとなえながらおぼえられます。（108ページ「となえかたのやくそく」・134ページ参照）

⑨ この漢字を書くときの注意や、この漢字を使ったことばのクイズなどをのせました。クイズの答えは、124ページにあります。

おうちの方へ●『となえて おぼえる 漢字の本』についてのくわしい説明は134ページを見てください。この本にもとづく『となえて かく 漢字練習ノート』で書きとりをして、読み書きの問題を解くと、さらに学習が深まります。

となえて おぼえる® 下村式

漢字(かんじ)の本(ほん)

改訂4版

小学 **1** 年生

下村 昇＝著　まつい のりこ＝絵

「よーい　どん！」
　こびとと　どんぐりが
かけっこだ。

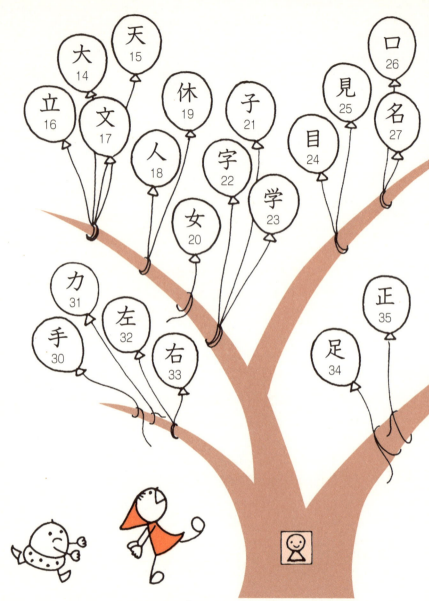

あれ、かん字のふうせんが いっぱい。

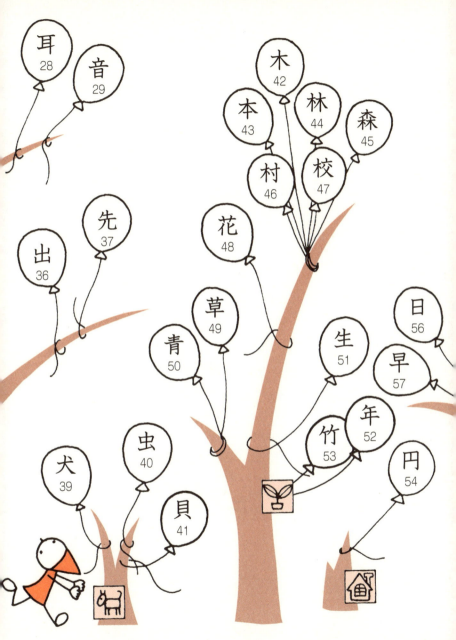

こびとは つかれて ひとやすみ。

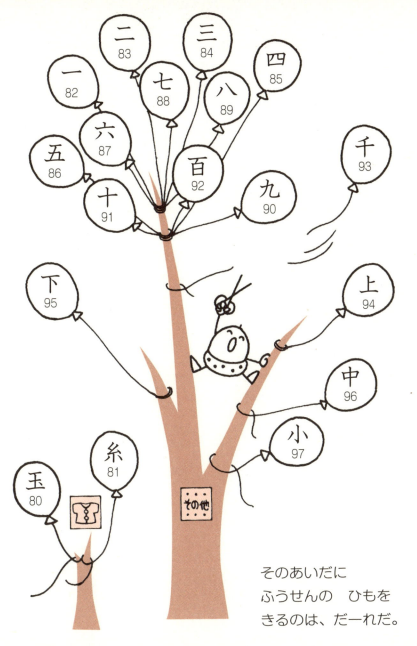

そのあいだに
ふうせんの　ひもを
きるのは、だーれだ。

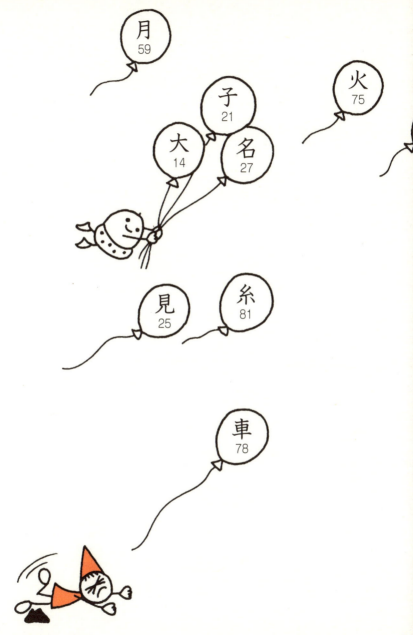

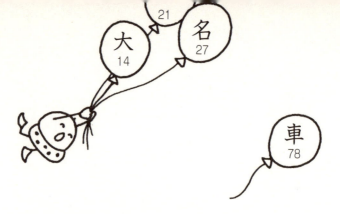

こびとが ふうせんを
おいかけていくと……
あれあれ、あれは なんだろう。
「かん字はね、
えから できたんだよ。
どのかん字にも、
なりたち のところが あるから
よく みてごらん。」
と、どんぐりが いいました。

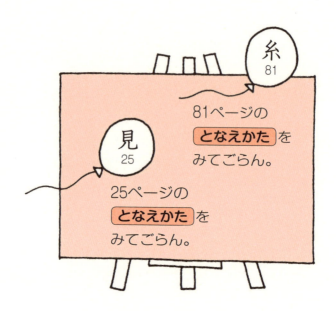

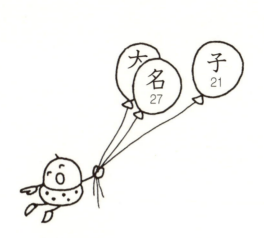

「 となえかた はね、かん字を
口で となえながら かけるように
してあるんだよ。」
と、どんぐりが
おしえてくれました。

　さあ、ふうせんに おいつこう。

大(だい)の部・3画
□ その他型／一(よこぼう)

くん おお　大空をみあげる。　　おおきい　心の大きい人。
　　　おおいに　友だちと大いにかたりあう。
おん ダイ　大小の、めずらしい貝がら。
　　　タイ　花火大会へいく。

いみ　❶おおきい●大空・大会・大海・大気・大志・大事・大小・大地・大陸・特大・大人　❷おおい・たくさん●大金・大軍・大群・大量　❸すぐれている●大物・大家・大国・大作・偉大　❹おおよそ・あらまし●大半・大別　❺位や地位がたかい●大王・大将・大臣・大統領
●特別な読み…大人・(大和)

なりたち

人が 手と足を ひろげて たっている かたち。

人が おおきく 手と 足を ひろげて たっている すがたから〈おおきい〉ことを あらわす。

となえかた

大	よこぼうて
大	左にはらって
大	右ばらい

さんこう　　大の はんたいの いみの字…小・細

大(だい)の部・4画

☐ その他型／一(よこぼう)

くん あま　夜空にきれいな天の川。
　　（あめ）　天の神、地の神。
おん テン　天女のはごろもの、おはなし。

いみ ❶**そら・おおぞら・てん**● 天の川・天下・天気・天空・天候・天国・天使・天体・天地・天女・天馬・天文・雨天・晴天　❷**しぜんの力**● 天災・天寿・天敵・天然・天変・天命　❸**うまれつき**● 天才・天職・天性・天分・先天的

なりたち

そらを あらわす かたち。

人が、手と足を ひろげて たっている かたち。

人の あたまの うえに 大きく ひろがっている〈そら・てん〉の いみをあらわす。

となえかた

天　よこぼうながく

天　みじかいよこぼう

天　そしてさいごに人をかく

きを つけよう　天と にている字…大・夫

立(たつ)の部・5画
□ その他型／ヽ(てん)

くん たつ　背筋をのばして、まっすぐに立つ。
　　　たてる　ハイキングにいく計画を立てる。はらを立てる。
おん リツ　立春とはいっても、まださむい。
　　　（リュウ）あたらしい寺院を建立する。

いみ ❶たつ・たてる●立ち木・立場・立て札・立志・立食・立身・立体・起立・直立・独立・林立　❷つくる●立案・立法・国立・建立・私立・成立・設立　❸おこる・はじまる●立秋・立春・創立

●**特別な読み**…(立ち退く)
●**送りがなに注意**…「立場」「木立」「献立」「夕立」は、「立ち場」「木立ち」「献立て」「夕立ち」とは書かない。

なりたち

じめんを あらわす
よこぼうの うえに、
人が 手と足を ひろげて
たっている かたち。

となえかた

立	てん ー
立	ソ
立	ー

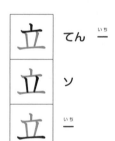

クイズ　「うでが立つ」の いみは？　①こわい ②すぐれる ③よわい

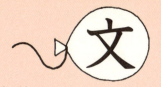

文(ぶん)の部・4画
□その他型／ヽ(てん)

- **くん** （ふみ） 王は王子に、**文**を手わたした。
- **おん** ブン **作文**がじょうずになるといいな。
  たのしい**文学**作品。
  モン **天文**台で星をみる。
  土器にきざまれた**文**様。
  古文書をよむ。

いみ ❶もよう ●**文**様・縄**文**土器 ❷かいたもの・じ・もじ ●**文**集・**文**書・**文**章・**文**筆・**文**法・**文**面・**文**字(**文**字)・**文**句・英**文**・古**文**書・作**文**・例**文** ❸ぶんか・学芸 **文**化・**文**学・**文**芸・**文**人・**文**明
●読み方に注意…「**文**字」などのときは、「**文**」は「も」とも読む。

なりたち

人の からだに、いれずみを している かたち。

からだに いれずみを かいた ことから 〈もよう・かいたもの〉 という いみをあらわす。

となえかた

 てん ーで

 左にはらって

 右ばらい

きを つけよう 　文と にている字…交

17

人(ひと)の部・2画
□ その他型／ノ(ななめぼう)

- **くん** ひと　世界の**人人**は、そのニュースにあっとおどろいた。
- **おん** ジン　ロシアは、あたらしい**人工**衛星をうちあげた。
- 　　　ニン　**人間**は、すぐれたちえをもっている。

いみ **ひと・にんげん** ● 人前・人目・人口・人工・人材・人生・人造・人体・人知・人名・人物・人類・人気・人形・人間・人数・故人・個人・商人・成人・聖人・他人・犯人・美人・名人・老人・大人・一人・二人・玄人・素人・仲人・若人

● **特別な読み**…大人(おとな)・一人(ひとり)・二人(ふたり)・(玄人(くろうと)・素人(しろうと)・仲人(なこうど)・若人(わこうど))

なりたち

人の よこむきの かたちで、〈ひと・にんげん〉のこと。

となえかた

人　左にはらって

人　右ばらい

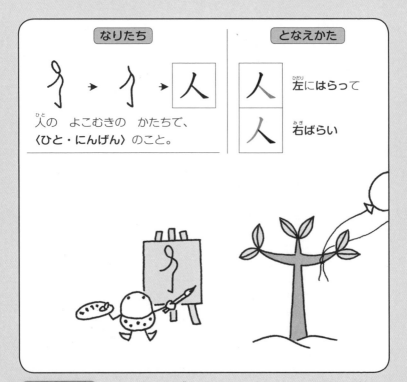

きを つけよう　人と にている字…入

人（ひと）の部・6画
左右型／ノ（ななめぼう）

くん やすむ　かぜをひいて学校を休む。
　　　　　　夏休みはいちばん長い。
　　　やすまる　森のなかで大きくいきをすうと、心が休まる。
　　　やすめる　あみものの手を休める。
おん キュウ　台風にそなえて、休校になった。
　　　　　　店が休業している。

いみ やすむ ● 気休め・夏休み・昼休み・休暇・休会・休学・休刊・休業・休憩・休校・休講・休止・休日・休診・休戦・休息・休養・公休・連休

なりたち

人の　よこむきの　かたち。

きの　かたち。

と

木

で

休

人が　おおきな　木の　したで、
しばらく　やすむことから、
〈やすむ〉の　いみになった。

となえかた

かなのイに
（にんべんに）

かん字の木

きを　つけよう　休と　にている字…体

女（おんな）の部・3画
□ その他型／ノ（ななめぼう）

くん おんな　おかっぱ頭の**女**の子。
　（め）　うつくしい**女**神様があらわれる。
おん ジョ　りっぱな**女**王様のかんむり。
　（ニョ）　神社のおまつりで、天**女**のまいをみた。
　（ニョウ）　つる**女**房のおはなしをよむ。

いみ ❶おんなの人・じょし●女手・女神・雪女・女医・女王・女官（女官）・女系・女子・女児・女性・女優・女流・女房・王女・少女・淑女・天女・美女・海女・乙女・早乙女　❷むすめ●次女・長女・養女
●特別な読み…（海女・乙女・早乙女）

なりたち	となえかた
	く ノ 女 一（いち）

おんなの人が　すわって
いる　かたち。

てを　まえに　くんで　ひざまず
いている　やさしい　すがたから
〈おんな・むすめ〉などの　いみを
あらわした。

さんこう　女の　はんたいの　いみの字…男

子(こ)の部・3画
□その他型／一(よこぼう)

- **くん** こ　たのしい**子供**だけの時間。
- **おん** シ　かぜをひいて、のどの**調子**がわるい。
- ス　どうも**様子**がおかしい。

いみ ❶こども● 子供・子役・子女・子息・子孫・女子・男子・長子・末子（末子）・迷子・息子　❷たまご・たね● 子房・種子　❸もとから、わかれてできたもの● 子音・利子　❹ちいさいもの● 原子・電子・陽子・粒子　❺りっぱな男の人● 君子・才子・天子
●特別な読み…迷子・(息子)

なりたち

あかんぼうの　かたち。

うまれて　すぐの　あかんぼうが　ぬのに　つつまれている　かたちから〈こども〉の　いみになった。

となえかた

かたかなの　**フ**をかいて

たてまげはねて

よこながく

きを　つけよう　子と　にている字…千・干

子(こ)の部・6画
上下型／丶(てん)

- **くん**（あざ）　わたしの住所は、海部郡海陽町大里字浜崎。
- **おん**　ジ　　漢字のなりたちは、おもしろいね。
　　　　　　　じぶんの名字をひらがなでかいた。

いみ　❶もじ・かんじ● 字画・字形・字体・字典・字引・字幕・英字・活字・漢字・国字・誤字・数字・点字・太字・名字・文字(文字)・略字　❷町や村を、さらにちいさくわけたところ● 字・大字

なりたち

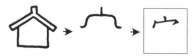

いえの やねの かたち。

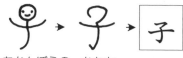

あかんぼうの かたち。

子どもが つぎから つぎへと うまれるように、じから じが うまれるので、〈もじ〉の いみになった。

となえかた

字
字

ウをかいて
（ウかんむりに）

こどもの子

きを つけよう　字と にている字…学

子(こ)の部・8画
上下型／丶(てん)

くん **まなぶ**　よくあそび、よく**学ぶ**子どもたち。
おん **ガク**　　たのしい**学芸会**が、はじまった。

いみ **べんきょうする・おそわっておぼえる** ● 学位・学園・学芸会・学者・学習・学生・学長・学徒・学童・学年・学問・学用品・学力・学割・学会・学期・学級・学校・医学・科学・数学・退学・通学・独学・入学・勉学

なりたち

ものを ならうところの
たてものの かたち。

子どもの かたち。

⺌ と 子 で 学

子どもが ものを ならう
ところ ということから
〈べんきょうする・おぼえる〉の
いみになった。

となえかた

学　ツに
学　ワをつけて
学　こどもの子

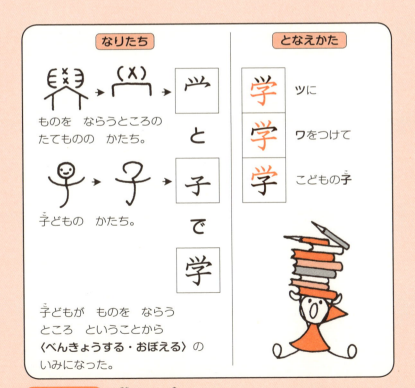

きを つけよう　「**学ぶ**」は「**学なぶ**」としない。

目（め）の部・5画
□その他型／1（たてぼう）

くん め　夜中にとつぜん、目がさめた。
　　（ま）　火事を目のあたりにする。
おん モク　本の目次をみる。
　　（ボク）　やくそくの時間にちこくして、ほんとうに面目ない。

いみ ❶ものをみるところ・め●目玉・目前・目測・目礼・着目・注目
❷みだし●目次・目録・科目・曲目・項目・題目　❸めあて●目当て・
目安・目算・目的・目標・眼目　❹わけたことがら●細目・品目
❺かお・たいど・じんかく●人目・目上・面目〈面目〉・真面目
●特別な読み…真面目

なりたち

人の　めの　かたち。

「皿」では、ほかの字と
くみあわせる　とき　つりあいが
とりにくいので　たての
かたちの〈目〉になった。

となえかた

 たてぼう

 かぎて

 よこぼう
2ほん

 そしておわりに
そこふさぐ

クイズ　「目がない」の　いみは？　①きらい　②すき　③こわい

見（みる）の部・7画
上下型／1（たてぼう）

くん みる　かみしばいを見る。
　　　 みえる　池のそこが見えるくらい、水がきれいだ。
　　　 みせる　友だちに、旅行先でとった写真を見せる。
おん ケン　あたらしい星を発見した。
　　　　　　　工場を見学してきた。
　　　　　　　おおよその見当をつける。

いみ ❶目にとめる・ながめる●見送り・見せ場・見出し・見習い・見晴し・下見・見学・見物・見聞・引見・会見・外見・拝見・発見　❷かんがえ・はんだん●見解・見識・見地・見当・意見・所見・先見

なりたち

人の うえに、おおきな
めの ついた かたち。

うえに おおきな めが あって、
よく みえると いうことから
〈目にとめる・ながめる〉の
いみになった。

となえかた

 たて
かぎかいて

 よこ3ぼん

 したに
ノをたて

 たてまげはねる

きを つけよう　見と にている字…貝

25

口(くち)の部・3画
□その他型／｜(たてぼう)

- **くん** くち　口をとじて、しずかにしよう。
- **おん** コウ　人口がだんだんへっている。
  - ク　人の口調をまねる。

いみ ❶ものをたべたり、こえを出したりするところ・くち●口笛・大口・口角・口舌・口中・人口　❷口にだしていう・はなす・ことば●口数・口答え・口出し・悪口・軽口・口調・口外・口実・口上・口約・口論　❸でいりぐち●入り口・裏口・表口・出口・戸口・窓口・火口・河口

クイズ　「口がかるい」の いみは？　①早口　②無口　③おしゃべり

口(くち)の部・6画
その他型／ノ(ななめぼう)

くん な　名前をきちんとかく。
　　　　　犬の名は、セブンといいます。
おん メイ　木のぼりの名人。
　　　ミョウ　いろいろな名字がある。

いみ ❶**人やものごとのよびな・なまえ**●名札・名前・名字・名詞・名実・名称・人名・姓名・題名・同名・売名・本名・仮名　❷**すぐれている**●名案・名画・名曲・名作・名産・名手・名所・名人・名声・名品・名物・名門・有名　❸**ひとのかずをかぞえることば**●三名・数名

●**特別な読み**…(仮名・名残)

なりたち

つきが はんぶん
ている かたち。

くちの かたち。

と

ロ

で

名

くらくなると かおが
みえないので、大きな こえで
なまえを よびあったことから、
夕と口を あわせて〈なまえ〉の
いみになった。

となえかた

名　かたかなで
　　夕

名　ロとかく

きを つけよう　名の「口」を「日」と しない。

耳(みみ)の部・6画
□その他型／一(よこぼう)

くん みみ　かべに耳あり、しょうじに目あり。
　　　　　となりの人に、そっと耳打ちした。
おん (ジ)　耳鼻科のお医者さんへいく。

いみ ❶おとをきくところ・みみ●耳打ち・耳鳴り・耳元・耳鼻科・外耳炎・中耳炎　❷きく●耳学問・耳障り・耳寄り・聞き耳・空耳・初耳・早耳

なりたち

人の　みみの　かたち。

となえかた

耳　よこぼう
耳　たてで
耳　よこ2ほん
耳　したから　もちあげ
耳　たてぼうながく

クイズ　耳に□ができる　□に入るのは？　①かい　②いか　③たこ

音(おと)の部・9画
上下型／丶(てん)

くん	おと	たいこの音がドンドンとひびく。
	ね	まつりのふえの音がきこえる。
おん	オン	たのしい音楽にのって、おどる。
	(イン)	母音とは、「あいうえお」のこと。

いみ ❶こえ・おと● 足音・本音・物音・音声・音程・音頭・音読・音波・音律・子音(子音)・母音(母音) ❷もののひびき・ねいろ・おんがく● 音色・音域・音階・音楽・音感・音質・音盤・音量・擬音・雑音・防音 ❸たより● 音信・福音

●読み方に注意…「観音」のときは、「音」は「のん」と読む。

なりたち

針は 心と おなじ音で、心のこと。日は口のなかからなにか でている かたち。

心で おもっていることが口からでたことで〈こえ・おと・おんがく〉を あらわす。

となえかた

 てん 一
 ソ
 一で
 日をしたに

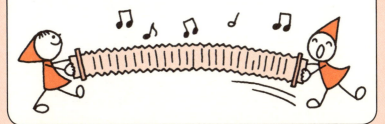

きを つけよう　音の「日」を「目」と しない。

手(て)の部・4画
□ その他型／ノ(ななめぼう)

くん て　手袋をはめる。
（た）　馬の手綱をもつ。
おん シュ　拍手でむかえる。
　　　たからを手中におさめる。

いみ ❶て・うで●手綱・手足・手先・手相・手袋・手前・手元・握手・拍手　❷てをつかってする●手作り・手記・手術　❸じぶんのものにする●手中・入手・落手　❹やりかた・ほうほう●手当て・手本・手段・手法　❺うでまえ・わざ●手並み・手練・妙手・上手・下手　❻人●運転手・歌手・助手・投手
●特別な読み…上手・手伝う・下手

なりたち

人の ての かたち。

五ほんの ゆびを のばした ての かたちから〈て〉の いみをあらわす。

となえかた

 ノをかいて

 よこぼう2ほん

 たてまげはねる

クイズ　手も□も出ない　□に入るのは？　①足　②口　③目

力（ちから）の部・2画
□その他型／一（よこぼう）

- **くん** ちから　おすもうさんは**力**持ちだ。
- **おん** リョク　**全力**をだしてはしる。
  - リキ　この工作は**力作**だ。

いみ ❶うごいたり、うごかしたりする、もとになるもの・はたらき●力持ち・力士・力点・引力・強力・気力・実力・自力・人力・全力・速力・体力・動力・能力・風力　❷ちからいっぱいすること●力一杯・力仕事・力任せ・力泳・力作・力説・力走・力投・努力

なりたち

うでの　ちからこぶの　かたち。

うでに　ちからを　いれたとき
できる　ちからこぶの　ことから
〈ちから・はたらき〉の　いみに
なった。

となえかた

力　かぎまげはねて
力　ノをいれる

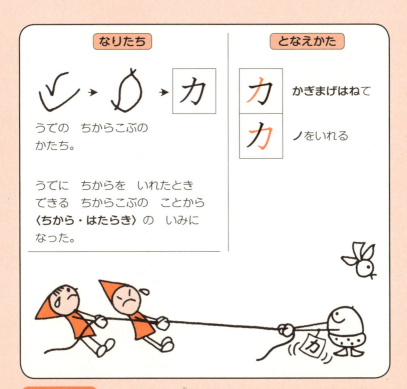

きを　つけよう　力と　にている字…刀

エ(え)の部・5画
□その他型／一(よこぼう)

くん ひだり　車は左、人は右。
　　　　　　おなかの左側がいたい。
おん サ　　横断歩道は、左右をよくみてわたろう。

いみ ❶ひだり●左側・左手・左岸・左記・左折・左右　❷たすける●証左　❸ひくいほう●左前・左遷　❹進歩的なかんがえかた●左派・左翼・極左　❺さけのみのこと●左党

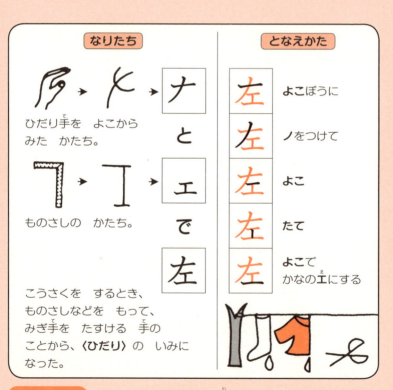

なりたち

ひだり手を よこから みた かたち。

ものさしの かたち。

こうさくを するとき、ものさしなどを もって、みぎ手を たすける 手の ことから、〈ひだり〉の いみに なった。

となえかた

よこぼうに
ノをつけて
よこ
たて
よこで かなのエにする

さんこう　左の はんたいの いみの字…右

口（くち）の部・5画
その他型／ノ（ななめぼう）

くん みぎ　右手に、えんぴつをもつ。
おん ウ　つぎのかどを、右折する。
　　　ユウ　ふりこが左右に動く。

いみ ❶みぎ ● 右側・右手・右往左往・右岸・右折・左右・座右　❷ふるくからのやりかたを、そのまま、まもりつづけるかんがえかた ● 右派・右翼・極右

なりたち

みぎ手を よこから みた かたち。

くちの かたち。

ナ と 口 で 右

ごはんを たべるとき、たべものを 口に はこぶ 手のことから、〈みぎ〉の いみになった。

となえかた

右　ノに
右　よこぼう
右　たて
右　かぎ
右　よこで かなの口にする

きを つけよう　右と にている字…石

足(あし)の部・7画
□その他型／丨(たてぼう)

くん あし　おたまじゃくしに足がはえた。先生は足が長い。
　　　たりる　人数は、三人いれば足りる。
　　　たる　信頼に足る人物だ。
　　　たす　スープがしおからいので、おゆを足す。
おん ソク　あしたは遠足、うれしいな。くつを五足もっている。

いみ ❶あし●足音・足首・足下・土足　❷あるくこと●足早・早足・遠足　❸たりること●充足・不足・満足　❹くわえること●足し算・補足　❺おかねのこと●足代・お足

●特別な読み…(足袋)

なりたち

あし ぜんたいの
かたち。

この かたちから〈あし・あるく〉
などの いみをあらわした。

となえかた

足	たて かぎ よこぼう
足	たてぼうかいて
足	よこぼう みじかく
足	人をかく

クイズ　足が□になる　□に入るのは？　①ぼう　②えだ　③いわ

止(とめる)の部・5画
□その他型／一(よこぼう)

くん ただしい　かん字を正しくかこう。
　　　　ただす　　しせいを正す。
　　　　まさ　　　きみのいうことは、正にそのとおりだ。
おん セイ　　　正確な時をきざむ時計。
　　　　ショウ　　お正月に、たこをあげる。

いみ ❶**ただしい**● 正月・正気・正直・正体・正解・正確・正規・正義・正座・正式・正常・正当・正統・正否・正門・公正　❷**ちょうど**● 正午・正面・正反対・正方形

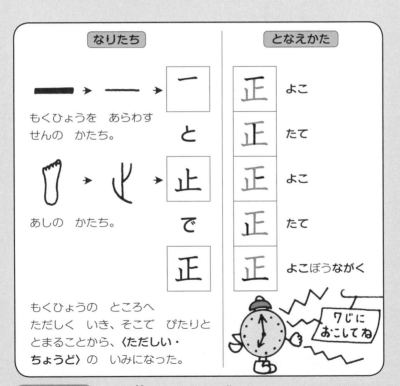

なりたち

─ → ─ → 一
もくひょうを あらわす せんの かたち。

と

🦶 → 止 → 止
あしの かたち。

で

正

もくひょうの ところへ ただしく いき、そこで ぴたりと とまることから、〈ただしい・ちょうど〉の いみになった。

となえかた

正　よこ
正　たて
正　よこ
正　たて
正　よこぼうながく

7じに おこしてね

きを つけよう　正の 上の よこぼうを 入れないと「止」になる。

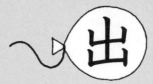

凵(うけばこ)の部・5画
その他型／丨(たてぼう)

- **くん** てる　水の出る音、ジャージャー。
  　　　だす　大声を出す。
- **おん** シュツ　旅に出発する。
  　　　(スイ)　収入を出納帳にかきいれる。

いみ ❶でる・だす●出口・出前・出火・出荷・出勤・出欠・出血・出航・出港・出国・出生(出生)・出場・出身・出世・出席・出題・出動・出入・出発・出品・出力・出納・外出・支出・進出・流出
❷あらわれる・あらわす●出現・出版・検出

なりたち	となえかた
あしの　かたちと、はじめに　たっていたときの　かかとのあと。 はじめに　たっていた　ところから、あしが　すこし　まえに　でた　かたちで、〈でる・だす〉などの　いみを　あらわす。	出　たてぼうながく 出　たてまげ 出　たてぼう 出　もひとつたてまげ 出　たてぼうつける

「出」は山がふたつかさなったものではないよ

さんこう　出の　はんたいの　いみの字…入

儿（ひとあし）**の部・6画**
上下型／ノ（ななめぼう）

- **くん** さき　えんぴつの**先**をとがらす。
  真っ先ににげた。
- **おん** セン　山のぼりで**先頭**を歩く。
  先生は、きげんがわるい。

- **いみ** ❶**まえ・さき**● 先程・先回り・真っ先・先決・先行・先制・先端・先着・先手・先頭・先方・先約・率先・優先　❷**すぎた・これよりまえ**● 先月・先日・先週・先進・先祖・先代・先場所・先例　❸**がくもんや芸にすぐれた人**● 先覚者・先人・先生・先輩

なりたち

むこうへ いく あしの かたち。

あるいている 人の あしの かたち。

→ 先

人が あるくとき、まず はじめに あしが でる ことから、〈まえ・さき〉の いみをあらわした。

となえかた

先　ノー の **一**の
先　たてで
先　よこ ながく
先　したにノをつけ
　　　たてまげはねる
　　　（ひとのあし）

きを つけよう　**先**の「儿」を「ル」と しない。

《えもじ クイズ》

クイズの のはらに でたよ。
さあ、えもじの ところに
かん字を いれよう。

🗻が ごろごろした 〵〵を わたると、🧒が だれもいない 🌸🌸が あります。🧒の 🧒が、そこから きのこを とって きました。
🔥で やいて たべて ください。

こたえは
106ページ

犬(いぬ)の部・4画
□その他型／一(よこぼう)

- **くん** いぬ　犬のあかちゃんが、五ひき生まれた。
- **おん** ケン　大きな番犬が、すわっている。
　　　　　　愛犬をつれて、さんぽにいく。

いみ ❶イヌ●飼い犬・小犬・野良犬・山犬・犬歯・愛犬・番犬・名犬・猛犬・野犬・猟犬　❷つまらないこと・むだなこと●犬侍・犬死に・負け犬

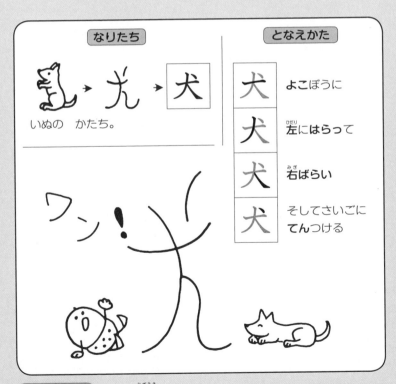

なりたち
いぬの かたち。

となえかた
- 犬　よこぼうに
- 犬　左にはらって
- 犬　右ばらい
- 犬　そしてさいごにてんつける

きを つけよう　犬の 右上の「丶」を わすれずに かく。

虫(むし)の部・6画
☐ その他型／1(たてぼう)

くん むし
- てんとう虫は、かわいい。
- あやまられても、ぜんぜん腹の虫がおさまらない。

おん チュウ
- 昆虫の足は六本。
- チョウの幼虫が、さなぎになった。

いみ ❶むし●虫干し・てんとう虫・害虫・寄生虫・昆虫・成虫・夜光虫・幼虫 ❷いやしめていうことば●虫けら・泣き虫・弱虫 ❸きもち●虫の知らせ・腹の虫 ❹よわよわしい●虫の息

なりたち

まむしと いう へびの かたち。

むかしは、けもの・鳥・魚のほかは むしと かんがえられていたので、へびの かたちで〈むし〉のことを あらわした。

となえかた

虫	口をひらたく
虫	たてぼうかいて
虫	したから**もちあげ**
虫	てんつける

クイズ 「虫がいい」の いみは？ ①すき ②かって ③きらい

貝(かい)の部・7画
上下型／｜(たてぼう)

くん かい
貝拾いをする。
ずかんで貝の名前をしらべる。
砂のなかに桜貝がまじっていた。
カタツムリは、陸にすむ巻き貝です。

おん ——

いみ かい ● 貝殻・貝塚・貝柱・貝料理・赤貝・桜貝・真珠貝・二枚貝・帆立貝・巻き貝

なりたち

たからがいの かたちで、〈かい〉の こと。

むかし、たからがいは めずらしがられ、かざりや おかねとして つかわれた。

となえかた

目をかいて
ハをつける

きを つけよう 貝と にている字…見

木（き）の部・4画
□その他型／一（よこぼう）

くん き　サクラの木がたくさんならんでいる。
　　　こ　杉木立の木漏れ日が、うつくしい。
　　　　　木の葉がおちる。
おん ボク　大木をきりたおす。
　　　モク　木馬にのってあそぶ。

いみ ❶き●木陰・木枯らし・木立・木の葉・木漏れ日・植木・草木・木炭・原木・樹木・大木・木綿　❷ざいもく●木戸・木場・木刀・木材・木製・木造・木馬・木目・木管楽器・木琴・木工・材木
●特別な読み…（木綿）

なりたち

ねを しっかり はり、
えだを ひろげて たっている
〈き〉のかたち。

となえかた

木　よこ
木　たてかいて
木　左にはらって
木　右ばらい

クイズ　木＋木＝？　木＋木＋木＝？

木(き)の部・5画
□ その他型／一(よこぼう)

くん もと　漢字の**大本**の意味をしらべる。
おん ホン　ぴーちゃんの**絵本**は、かわいいね。
　　　　　　この宝石は**本物**だ。

いみ ❶**もと・だいじな部分**● 大本・本分・本末・本来・基本　❷**おもな・中心となる**● 本拠・本家・本校・本国・本州・本店・本土・本部・本文(本文)　❸**もとからあるもの・生まれつきの**● 本質・本性・本能　❹**書物・文書**● 本箱・本屋・絵本・貸本・原本・新本・台本　❺**ほんとう・ほんもの・しんけんさ**● 本気・本当・本音・本物

なりたち	となえかた
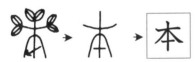 木の ねもとに しるしを つけた かたち。 木の ねもとに しるしを つけ、ふとい ねもとを しめした ことから、〈もと〉の いみになった。	本　よこ 本　たてかいて 本　左にはらって 本　右ばらい 本　そしてさいごに ねもとに よこぼう

きを つけよう　本と にている字…木

木(き)の部・8画
左右型／一(よこぼう)

- **くん** はやし　林のなかで、松ぼっくりをたくさんひろった。
- **おん** リン　森林のなかは、とてもすずしい。
　　　　　林間学校で、カレーをつくった。

いみ ❶**はやし**● 林間学校・林業・林政・林地・林木・林野・営林署・原始林・山林・森林・竹林・防雪林・防風林　❷**ものごとのあつまり**● 芸林・書林・辞林　❸**むらがるようす**● 林立

なりたち

木を ふたつ ならべた かたち。

木が ならんで はえている ようすから、〈はやし〉の ことを あらわす。

となえかた

林
林

木と木

きを つけよう　林の 左がわの「木」の「丶」は みじかく かく。

木(き)の部・12画
上下型／一(よこぼう)

くん もり 森のおくから、リスが二ひきあらわれた。
森のレストランで、食事をする。

おん シン 森林のおくへ、キツネがにげた。
森林公園で、バードウオッチングをする。

いみ ❶もり●森林 ❷おごそか●森厳 ❸ひっそりとしずまりかえっている●森閑 ❹おおい●森羅万象

なりたち

木を みっつ かさねた かたち。

木を、みっつ かさねて、木が たくさん しげっている ようすを あらわし、〈もり〉の いみになった。

となえかた

木をかいて

また木をかいて

もひとつ木

クイズ □を見て森を見ず □に入るのは？ ①白 ②火 ③木

木(き)の部・7画
左右型／一(よこぼう)

くん むら　村のはずれの一けんや。
　　　　まじめな村人たち。
　　　　村外れの神社に、おまいりにいく。
おん ソン　村長さんはあわてんぼう。
　　　　漁村の朝は早い。

いみ ❶むら・地方公共団体のひとつ● 村八分・村人・村役場・村営・村会・村長・村道・村民・村有・村立　❷いなか● 村里・村外れ・村娘・村落・寒村・漁村・山村・農村

なりたち	となえかた

木の かたち。

手の かたちに 「一」じるしを つけて、ゆび一ぽんの はば、わずかの こと。

「寸」は すこしの いみ。木が すこし はえている ところに、人びとが あつまり、すんだ ことから、〈むら〉をあらわす。

村　木に
村　よこ
村　たてはねて
村　てんつける

いいところだ！
71ページから やってきたよ

きを つけよう　村と にている字…材

木(き)の部・10画
左右型／一(よこぼう)

くん ―
おん コウ　校庭のサクラが満開だ。
　　　　　学校便りの校正をして、字のまちがいをみつけた。

いみ ❶**がっこう**●校医・校歌・校規・校旗・校舎・校則・校地・校長・校庭・校内・校風・校門・校友・学校・休校・下校・登校・分校・母校・本校　❷**しらべる・ただす・かんがえる**●校閲・校正・校定・校訂・校了・再校・初校

なりたち

木の かたち。

と

あしを くんでいる かたちで まじわること。

で

校

木を まじわらせて
つくった どうぐの ことから、
せんせいと せいとが
まじわって べんきょうする
〈がっこう〉の いみをあらわした。

となえかた

校	木をかいて（木へんかき）
校	てん 一
校	ハをかき
校	左右にはらう

きを つけよう　校の「交」を「文」と しない。

サ(くさかんむり)の部・7画
上下型／一(よこぼう)

くん はな　サクラの花びらをあつめる。
　　　　　　ぱっと火花がちった。
おん カ　　花壇に水をまく。
　　　　　　ポピーが、いっせいに開花した。

いみ ❶草木などのはな●花盛り・花園・花束・花畑・花びら・花見・花輪・生け花・草花・花壇・花粉・開花・造花　❷はなのように、うつくしいもの●花形・花火・花婿・花嫁・火花　❸いちばんいいとき●花道

なりたち	となえかた
 くさの はえている かたち。	花　よこぼうかいて たて2ほん（くさかんむり）
人の さかさまに なった かたち。	花　ノにたてつけて
と 化 で 花	花　右にノをかき
人の さかさまの かたちは〈すがたが かわること〉で、はなが さいて くさの すがたが かわる ことから〈はな〉のことを あらわす。	花　たてまげはねる

クイズ　花より□　□に入るのは？ ①おかし ②だんご ③おはぎ

艹（くさかんむり）の部・9画
上下型／一（よこぼう）

くん くさ　草原から、ウサギがとびだす。
　　　　　庭に草花をうえる。
おん ソウ　雑草に、きれいな花がさく。

いみ ❶くさ●草木・草花・青草・庭草・水草・道草・若草・草原(草原)・草食・海草・雑草・除草・毒草・牧草・薬草・野草・草履　❷くさぶき・そまつな●草屋・草野球　❸ものごとのはじめ●草創　❹したがき●草案・草稿・起草　❺あわただしい●草草・草卒
●**特別な読み**…(草履)

なりたち

くさの はえている かたち。

お日さまが くさのうえに でた かたちで、あさ はやいこと。

あさ はやくから のびだし、いくらでも どんどん はえてくる 〈くさ〉のこと。

となえかた

草
草
草

くさかんむりに（よこぼう たて たて）
日を かいて
十

きを つけよう　草の「日」を「目」と しない。

青(あお)の部・8画
上下型／一(よこぼう)

くん あお　すんだ青空。
　　　　　こわい話を聞いて、顔が青ざめる。
　　　あおい　広くて青い海。
おん セイ　青果市場へ野菜をおろす。
　　　（ショウ）銅についたさびを緑青という。

いみ ❶あお・あおい●青信号・青空・青葉・青豆・青物・青雲・青果・青天・青銅・群青・紺青・緑青・真っ青　❷わかい●青二才・青春・青年

●特別な読み…真っ青

なりたち	となえかた

あおい くさの はえて いる かたちと、いどの かたち。

くさの いろや、あおく すんだ いどの 水の いろから、〈あお・あおい〉の いみになった。

青　よこ たて
青　よこ よこ
青　たて
青　かぎはねて
青　なかにちいさく よこ2ほん

きを つけよう　青の「主」を「土」と しない。

生(うまれる)の部・5画
□その他型／ノ(ななめぼう)

くん いきる　たのしく生きる。　　いかす　経験を生かす。
　　　　いける　花を生ける。　　　　うまれる　ひよこが生まれる。
　　　　うむ　　卵を生む。　　　　　はえる　　草が生える。
　　　　はやす　ひげを生やす。　　　なま　　　生の野菜。
　　　　(おう)　父の生い立ち。　　　(き)　　　洋服の生地。
おん セイ　　生命はとうとい。　　ショウ　　研究に一生をささげる。

いみ ❶**いきる**●一生・生息　❷**うまれる**●出生(出生)・発生　❸**いのち**●生存・生命　❹**くらし**●生活・生業・生計　❺**まなぶひと**●生徒・学生・書生　❻**じゅんすい**●生糸・生地
●特別な読み…(芝生・弥生)

なりたち

つちを おしわけて、
めが でてきた かたち。

つちの なかから めが でてきた
ようすから、〈いきる・うまれる〉
などの いみをあらわす。

となえかた

生	ノ 一の
生	たてて
生	よこ2ほん

さんこう　生の はんたいの いみの字…死

干(いち/じゅう)の部・6画
□その他型／ノ(ななめぼう)

くん とし　年のくれは、いそがしい。
　　　　お年寄りに、せきをゆずる。
おん ネン　新年のあいさつをする。
　　　　大きい一年生と小さい二年生。

いみ ❶いちねん・三百六十五日●数え年・半年・毎年・年賀・年額・年間・年月(年月)・年始・年中・年数・年度・年内・年末・年輪・去年・今年(今年)・新年・本年・来年　❷とし・ねんれい●年上・年子・年下・年寄り・年少・年代・年長・年齢・学年・少年・青年・壮年・中年・老年

●特別な読み…今年

なりたち	となえかた

いねの　かたちと、いねをかりとる　かたち。

たねもみを　まいてから、人に　かりとられるまでを　四季のひとめぐりと　したことから、〈とし・いちねん〉の　いみをあらわす。

年	ノ　ーとつづけて
年	よこ
年	たてチョン
年	よこぼうかいたら
年	たてながく

きを　つけよう　年の　まんなかの　たてぼうは　上に　つきてない。

竹(たけ)の部・6画
左右型／ノ(ななめぼう)

- **くん** たけ　かぐやひめは、竹から生まれた。
　　　　　竹とんぼを、とばしてあそぶ。
- **おん** チク　竹林が風でゆれている。
　　　　　あのふたりは竹馬の友だ。

- **いみ** タケ ● 竹馬(竹馬)・竹細工・竹とんぼ・竹の子・青竹・若竹・竹馬・竹林・竹輪・松竹梅・爆竹・破竹・竹刀
- ●**特別な読み**…(竹刀)

クイズ　竹馬の□　□に入るのは？　①人　②山　③友

冂（どうがまえ）の部・4画
その他型／｜（たてぼう）

- **くん** まるい　円いテーブルで、トランプをしてあそぶ。
- **おん** エン　空とぶ円盤をみた。
　　　　　人がらが円満だ。
　　　　　コンパスで円をえがく。

いみ ❶まる・まるいもの ● 円球・円形・円周・円心・円陣・円卓・円柱・円筒・円盤・円舞曲・半円　❷日本のおかねの単位 ● 十円玉・千円　❸おだやか・かけたところがない ● 円滑・円熟・円満

なりたち

かこいと まるいしるしと
貝の かたち。

むかしは、貝が おかねの
かわりだったが、それが まるい
おかねになり、人の 手から手へ
と ぐるぐる まわったことから
〈まるいもの・おかね〉の
いみをあらわした。

となえかた

円	たて
円	かぎはねて
円	たて
円	よこぼう

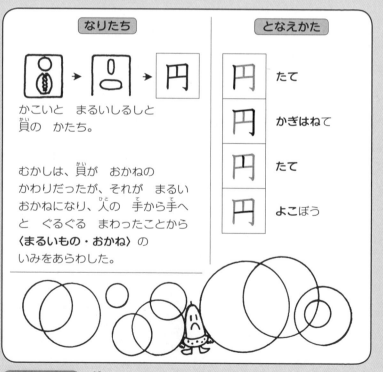

つかいわけ　円いテーブルを おく。丸いちきゅう。

クイズの のはらに
ノートが
おちている。

できるかしら？

けいさん クイズ

林＋木＝？
ナ＋ロ＝？
一＋土＝？

森－木＝？
早－十＝？
天－一＝？

こたえは
106ページ

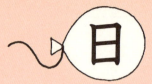

日（ひ）の部・4画
□ その他型／｜（たてぼう）

くん ひ　あついときは、日陰であそぼう。
　　　か　三月三日は、ひなまつり。
　　　　　三日月形のまゆげ。
おん ニチ　早く日曜日がくるといいな。
　　　ジツ　きょうは祝日だ。

いみ ❶ひ・太陽● 日陰・日なた・日月・日曜・日光・落日・日和　❷ひる・ひるま● 日中・日夜　❸一日・ひにち・ひ● 日課・日記・日直・終日祝日・三日月・明日(明日)・今日・昨日(昨日)・今日・一日・二十日・二日　❹日本のこと● 日米・親日家・来日
● **特別な読み**…明日・昨日・今日・一日・二十日・二日・(日和)

なりたち

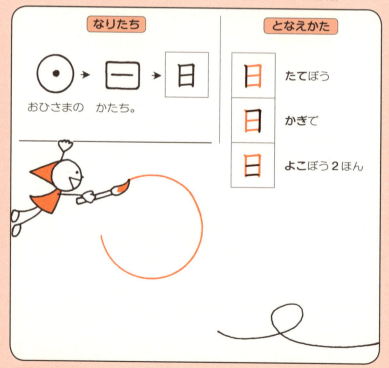

おひさまの　かたち。

となえかた

日　たてぼう
日　かぎで
日　よこぼう２ほん

きを　つけよう　日と　にている字…目

日(ひ)の部・6画
□その他型／1(たてぼう)

くん	はやい	春よこい、早くこい。
	はやまる	出発が早まる。
	はやめる	開場時刻を一時間早める。
おん	ソウ	早春の風は、まだつめたい。
	(サッ)	早速、お礼の手紙をかく。

いみ ❶はやい・ある時間よりまえ●早足・早起き・早仕舞い・早出・早番・早引け・早期・早春・早世・早退・早朝・早乙女・早苗 ❷時間がかからない●早変わり・早口・早業・早急(早急)・早速・早早(早早)

●**特別な読み**…(早乙女・早苗)

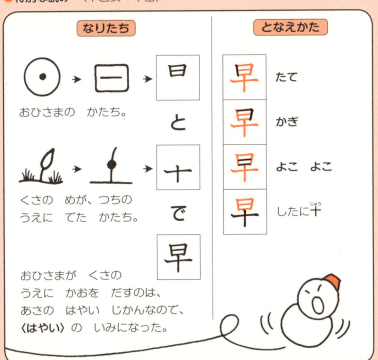

なりたち

おひさまの かたち。

くさの めが、つちの うえに でた かたち。

おひさまが くさの うえに かおを だすのは、あさの はやい じかんなので、〈はやい〉の いみになった。

となえかた

早 たて
早 かぎ
早 よこ よこ
早 したに十

きを つけよう 早の「日」を「目」と しない。

白（しろ）の部・5画
□ その他型／ノ（ななめぼう）

くん しろ　　白のブラウスをきる。
　　　しら　　白雪姫のおはなし。
　　　しろい　白いカモメ、白い波。
おん ハク　　エリサは白鳥の王子をたすけた。
　　　（ビャク）フィンランドで、うつくしい白夜を体験する。

いみ ❶しろ・しろい●白雪・白酒・白星・白目・白衣・白人・白線・白地図・白鳥・白米・紅白・白髪　❷あかるい●白日・白昼・白夜（白夜）　❸まじりけがない●潔白・純白・明白　❹なにもない●白紙・空白　❺いう・のべる●白状・告白・自白
●特別な読み…（白髪）

なりたち	となえかた
　お日さまの ひかりが さしている かたち。 白の ひかりが さすと、きらきらひかって あかるくみえることから〈しろ・まじりけがない〉こと。	ノをかいて たてぼう かぎで よこ2ほん

76ページを 見てね

きを つけよう　白と にている字…自

月(つき)の部・4画
□ その他型／ノ(ななめぼう)

くん つき　あかるい**月**夜のばん。
　　　　月にいってみたいな。
おん ゲツ　**月**食をかんそくする。
　　　　おこづかいは一**か月**に四百円。
　　　ガツ　一**月**のカレンダーをめくる。

いみ ❶**つき**●月明かり・月見・月夜・三日月・夕月・月光・月食・月世界・月面・新月・半月・満月・名月・明月　❷**一年を十二にわけた単位**●月日・月初め・月日・月刊・月給・月謝・月末・今月・正月・先月・本月・五月・五月雨
●**特別な読み**…(五月・五月雨)

なりたち

山の むこうから でた みかづきの かたち。

となえかた

月	たてたノ
月	かぎはね
月	よこ2ほん

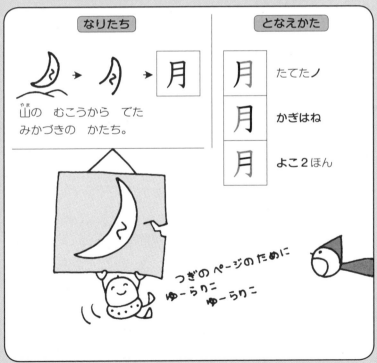

つぎの ページのために ゆーらりこ ゆーらりこ

クイズ　月の かん字は どのかたち？　①三日月　②半月　③満月

夕(た)の部・3画
その他型／ノ(ななめぼう)

くん ゆう　まっかな夕日が、山のかげにしずむ。
　　　　　ぼくは、朝に夕に、しかられている。
おん (セキ)　ピラミッドは、一朝一夕にできたものではない。

いみ **ゆうがた・ひぐれ** ●夕方・夕刊・夕暮れ・夕刻・夕食・夕涼み・夕立・夕月・夕飯・夕日・夕べ・夕焼け・朝夕・今夕・毎夕・一朝一夕・七夕
● **特別な読み**…七夕

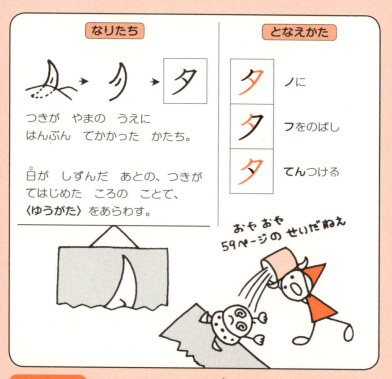

なりたち
つきが やまの うえに
はんぶん でかかった かたち。

日が しずんだ あとの、つきが
ではじめた ころの ことで、
〈ゆうがた〉をあらわす。

となえかた
夕　ノに
夕　フをのばし
夕　てんつける

おやおや 59ページのせいだねえ

さんこう　夕の はんたいの いみの字…朝

《なりたち クイズ》も やってごらん！

木に よりかかって なにしてる？　　　(19)

月の でかけは いつごろだ？　　　　　(60)

田んぼで はたらく 力もちは？　　　　(70)

あたまの うえに ひろがるものは？　　(15)

お日さまの ひかりは どんないろ？　　(58)

こたえは
（　）のページ

雨(あめ)の部・8画
□その他型／一(よこぼう)

- **くん** あめ　雨のしずくが、ぽとんぽとんとおちてくる。
  - あま　あっ、雨雲だ。
- **おん** ウ　風雨が、つよくなってきた。
- **いみ** あめ ● 雨足・雨音・雨具・雨雲・雨垂れ・雨戸・雨水・雨漏り・雨宿り・雨上がり・雨降り・雨模様・大雨・霧雨・小雨・長雨・涙雨・雨季・雨天・雨量・降雨・豪雨・晴雨・梅雨(梅雨)・春雨・風雨・暴風雨・五月雨・時雨
- **特別な読み**…(五月雨・時雨・梅雨)
- **読み方に注意**…「霧雨」「小雨」「春雨」などのときは、「雨」は「さめ」と読む。

なりたち

たれさがった くもから あめが ふる かたち。

となえかた

- 雨　よこ
- 雨　たて
- 雨　かぎはね
- 雨　なかにたて
- 雨　左 てんてん　右 てんてん

さんこう　雨の はんたいの いみの字…晴

气（きがまえ）の部・6画
上下型／ノ（ななめぼう）

くん ——
おん キ　山の空気は、おいしい。ぴーちゃんは、クラスの人気者。
　　　ケ　春の気配がする。おふろから湯気がたつ。

いみ ❶き・ゆげ●気球・気体・水蒸気・湯気　❷くうき●気圧・気温・気流・外気・空気・大気　❸いき・呼吸●気息・呼吸　❹自然のようす●気候・気象・天気・電気　❺きもち・性質●気心・気品・気分・気持ち・気楽・気力・意気・根気・人気・意気地・浮気　❻ようす・けいこう●気風・気配・景気・寒気・短気・強気・病気
●**特別な読み**…(意気地・浮気)

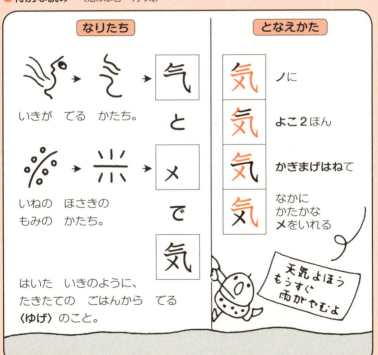

クイズ　「気をもむ」の いみは？　①やきもき　②どきり　③わくわく

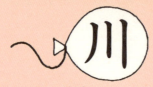

川（かわ）の部・3画
左右型／ノ（ななめぼう）

- **くん** かわ
  - きもちのよい川風。
  - 川へフナをつりにいった。
  - 川岸のサクラが満開だ。
- **おん** （セン）
  - 河川工事がはじまる。
  - 川柳をよむ。

- **いみ** かわ　川風・川上・川岸・川口・川下・川底・川止め・川開き・川辺・川向こう・大川・小川・谷川・山川・河川・支川・川原
- ●**特別な読み**…川原

なりたち

りょうぎしの あいだを
みずが ながれている
かたちで〈かわ〉を あらわす。

となえかた

 たてたノに

 まんなか **たてぼう**

 右たてながく

きを つけよう　川の まんなかの たてぼうは みじかく かく。

水(みず)の部・4画
左右型／l(たてぼう)

くん みず　水鉄砲であそぶ。
　　　　　　はなしに水をさす。
おん スイ　海水浴にいく。
　　　　　　水上スキーをやりたいな。

いみ ❶みず●水遊び・水浴び・水草・水玉・水鉄砲・雨水・水泳・水害・水産・水車・水上・水洗・水族館・水中・水田・水道・水分・水平・水兵・水面・水量・水力・汚水・海水・海水浴・下水・洪水・断水・治水・防水・清水　❷すもうで勝負がながびいたとき、とちゅうでやすむこと●水入り

●特別な読み…清水

なりたち

𣲘 → 氷 → 水

かわの みずの
うごきの かたち。

この かたちから〈みず〉を
あらわす。

となえかた

水	たてぼうはねて
水	フをかいて
水	左にはらって
水	右ばらい

きを つけよう　水と にている字…氷

山(やま)の部・3画
□ その他型／1(たてぼう)

くん やま　山に夕日がしずむ。
山びこが、かえってきた。
ドラマが、いよいよ山場をむかえた。
仕事の山をこす。

おん サン　山野をかけめぐって、あそぶ。
登山電車にのる。

いみ ❶やま●山男・山火事・山小屋・山登り・山びこ・奥山・山間・山賊・山地・山頂・山道・山脈・山野・火山・鉱山・登山・山車・築山　❷ものごとの、たいせつなところ●山場

●特別な読み…(山車・築山)

なりたち

とおくから みた やまの かたち。

となえかた

山　たかいたて
山　たてまげ
山　右もたておろす

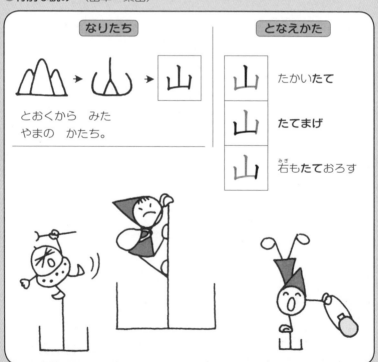

きを つけよう　山の まんなかの たてぼうは ながく かく。

石(いし)の部・5画
その他型／一(よこぼう)

くん いし　石につまずいてころんだ。
　　　　　石橋をたたいてわたる。

おん セキ　プラスチックは、石油からつくられる。
　　　シャク　磁石で方角をしらべる。
　　　（コク）　千石船で、さまざまなものがはこばれた。
　　　　　　　一石は百升だ。

いみ ❶いし●石段・石橋・石材・石像・石炭・石仏・石油・石器・化石・岩石・磁石・宝石　❷かたいもののたとえ●石頭　❸こく・容積をはかるむかしの単位●千石船・百万石

なりたち

がけの したに、いしが ころがっている かたち。

となえかた

石　よこぼうに
石　ノをつけて
石　たて
石　かぎかいて
石　そことじる

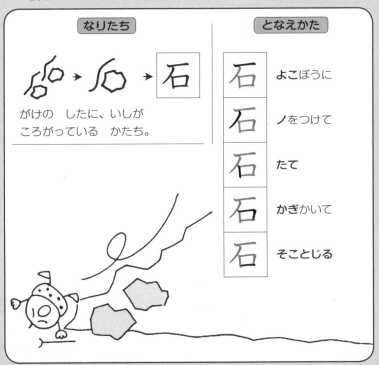

クイズ　石の上にも□年　□に入るのは？　①一　②二　③三

金(かね)の部・8画
□ その他型／ノ(ななめぼう)

くん かね　黄金虫は金持ちだ。
　　　　　お金は、お足ともいう。
　　　かな　金物屋さんでバケツを買う。
おん キン　金のおの、銀のおのの、おはなし。
　　　コン　金色の屋根のお寺。

いみ ❶きん●金色(金色)・金貨・黄金(黄金)　❷きん、銀、銅、鉄などの鉱物●金具・金物・金山・金属・合金　❸おかね●金持ち・金額・金庫・金銭・現金・大金・代金・料金　❹きんのようにねうちがあるもの●金科玉条・金言

なりたち

やまの　なかの　つちに、こがねが　まじっている　かたち。

この　かたちから〈きん・おかね〉などの　いみをあらわす。

となえかた

 ひとやねに

 よこぼう　2ほんで

 たてぼうひいて

 チョン　チョン つけたら

 よこぼうながく

← 金

きを　つけよう　金と　にている字…全

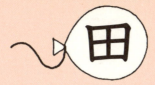

田(た)の部・5画
□その他型／１(たてぼう)

くん た　田植えをすませた。
　　　　　田の草とりをした。
おん デン　青あおとした、夏の水田。
　　　　　あたらしい油田が発見された。

いみ ❶たんぼ● 田植え・田畑・青田・稲田・山田・田園・田地・新田・水田・美田・田舎　❷ものがとれる、ひろいちいき● 塩田・炭田・油田
● 特別な読み…(田舎)

なりたち

ひろい たんぼを
とおくから みた
かたち。

となえかた

田　たて
田　かぎかいて
田　なかに たて よこ
田　そことじる

きを つけよう　田を「甲」「由」「申」と しない。

田(た)の部・7画
□その他型／1(たてぼう)

- **くん** おとこ　雲をつくような大男があらわれた。
- **おん** ダン　男子と女子にわかれる。
- 　　　ナン　ぼくは長男で、けんちゃんは次男だ。

いみ ❶おとこの人・だんし●男気・男手・男泣き・男振り・男前・大男・山男・男子・男児・男女・男性・美男子(美男子)　❷むすこ●次男・長男

なりたち

たんぼの　かたち。→ 田
ちからこぶの　かたち。→ 力
で → 男

たんぼの　しごとは　ちからが　いるので、おとこの　しごとだったことから、田と力を　あわせて〈おとこ〉の　いみに　なった。

となえかた

男	たて　かぎ
男	たて　よこ
男	そことじて
男	かぎまげはねて
男	ノをつける

さんこう　男の　はんたいの　いみの字…女

田(た)の部・7画
左右型／l(たてぼう)

- **くん** まち　町角に花屋さんがある。
- **おん** チョウ　町内のこども会で、おみこしをかつぐ。
　　　　　町民ホールで、バレエ公演があった。

いみ ❶人やみせなどが多く、にぎやかなところ●町角・町中・町並み・下町・城下町・町内・町人　❷郡、市、区のなかのひとつのまとまり●町会・町長・町民

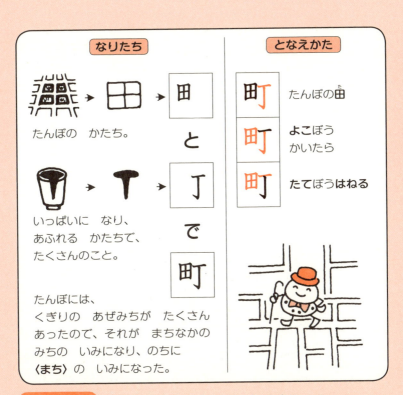

なりたち

たんぼの かたち。

いっぱいに なり、あふれる かたちで、たくさんのこと。

田 と 丁 で 町

たんぼには、くぎりの あぜみちが たくさん あったので、それが まちなかの みちの いみになり、のちに〈まち〉の いみになった。

となえかた

町　たんぼの田
町　よこぼう　かいたら
町　たてぼうはねる

きを つけよう　町の「田」を「甲」「由」「申」と しない。

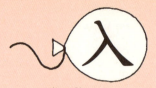

入(いる)の部・2画
□その他型／ノ(ななめぼう)

くん いる　　サーカスの入り口はこちら。
　　　いれる　ビー玉を箱に入れる。
　　　はいる　劇場のなかに入る。
　　　　　　　ボーイスカウトに入る。
おん ニュウ　入学祝いに本をもらう。
　　　　　　　入道雲がいっぱいでてきた。

いみ ❶はいる・いれる●入り口・入れ物・入院・入園・入学・入金・入試・入室・入手・入場・入道雲・入梅・入門・入力・収入・輸入
　　　❷いる・ひつようである●入り用・入費

なりたち

∩ → 入 → 入

あなの　いりぐちの
かたち。

この　かたちで　いりぐちから
〈はいる〉いみをあらわす。

となえかた

入　左にはらって

入　右ばらい

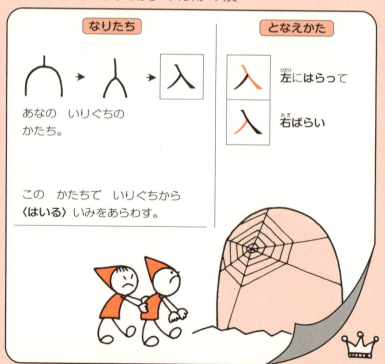

さんこう　入の　はんたいの　いみの字…出

穴(あな)の部・8画
上下型／丶(てん)

くん	そら	夜空に星がまたたく。
	あく	ざせきが空く。
	あける	旅行で三日間、家を空ける。
	から	空っぽの箱をもらった。
おん	クウ	空気入れが、こわれた。
		空想して、たのしむ。

いみ ❶そら・おおぞら●青空・大空・星空・夜空・空気・空中・上空 ❷からっぽ・なにもない●空っぽ・空間・空席・空白・空腹 ❸じっさいにはないこと●空前・空想 ❹むだ●空頼み・空費 ❺「航空機」のりゃく●空軍・空港・空輸・空路

なりたち

ほらあなの いりぐちと
てんじょうの かたち。

ほらあなには、なにも ない
ことから〈からっぽ〉の いみを
あらわし、なにも ない
くうかんの〈そら〉もあらわした。

となえかた

 ウに

 ハをまげて

 かなの
エつける

きを つけよう　空の「エ」を「土」「士」と しない。

土(つち)の部・3画
その他型／一(よこぼう)

- **くん** つち　植木ばちに土を入れる。
- **おん** ド　ここから先は土足禁止です。
　　　　　家の土台を、ふとい木でつくる。
　　　ト　土地のねだんが上がる。

いみ ❶**つち・どろ**●土色・土管・土器・土偶・土下座・土建・土質・土砂・土製・土葬・土蔵・土足・土台・土手・土俵・土木・土間・粘土　❷**りくち・人のすむところ**●土地・土着・郷土・国土・風土・土産

●特別な読み…(土産)

なりたち

じめんから くさや
木が めを だす かたち。

この かたちから〈つち〉の
いみをあらわす。

となえかた

土　よこ

土　たてかいて

土　よこぼうながく

きを つけよう　土と にている字…士

火(ひ)の部・4画
□ その他型／丶(てん)

- **くん** ひ 花火がうちあげられた。
- （ほ）山小屋の火影がみえた。
- **おん** カ 火事をみつけたら、119ばん。
  火星をかんそくする。

いみ ❶ひ● 火消し・火種・火の気・火の粉・火花・火元・火影・花火・火気・火口・火山・火星・火薬・火力・引火・消火・点火・発火・猛火 ❷かじ● 火の手・火元・火事・火災・失火・出火・放火・防火 ❸あかり・ともしび・ひかりかがやくもの● 怪火・灯火 ❹火のように、はげしいようす● 火急

なりたち

ひが もえている かたち。

となえかた

火 チョン チョンで
火 左にはらって
火 右ばらい

クイズ とんで火に入る□の虫 □に入るのは？ ①春 ②夏 ③冬

赤(あか)の部・7画
□ その他型／一(よこぼう)

- **くん** あか　信号が赤にかわる。
  - あかい　赤いふうせんをもらう。
  - あからむ　カキの実が赤らむ季節になった。
  - あからめる　はずかしさで、おもわず顔を赤らめる。
- **おん** セキ　お赤飯で、おいわいをする。
  - (シャク)　赤銅色のはだの男たち。

いみ ❶あか・あかい●赤子・赤字・赤信号・赤電話・赤銅色・赤飯・赤面・真っ赤　❷まったくの●赤の他人・赤裸・赤貧・赤裸裸　❸まじりけがない●赤心・赤誠　❹共産主義のこと●赤旗・赤軍・赤化
●特別な読み…真っ赤

なりたち

人が たっている
かたちと 火が もえている
かたちで、火が おおきく
もえること。

おおかじの ときの 火の いろの
ことから、〈あか・あかい〉の
いみをあらわす。

となえかた

赤	土に
赤	たてたノ
赤	たてはね
赤	チョン　チョン

58ページを見てね

きを つけよう　赤の「土」を「士」と しない。

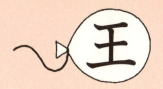

玉(たま)の部・4画
□ その他型／一(よこぼう)

- **くん** ―
- **おん** オウ　雪の**女王**の物語。
　　　　　今年のホームラン**王**はだれだろう。

いみ ❶くらいをうけついで国をおさめる人・**王**位・**王**国・**王**座・**王**様・**王**室・**王**女・**王**政・**王**族・**王**朝・**王**妃・勤**王**・国**王**・女**王**　❷皇族の男子・**王**子・親**王**　❸いちばんすぐれている人やもの・第一人者・**王**者・**王**将・発明**王**・百獣の**王**

●読み方に注意…「親王」「勤王」などのときは、「王」は「のう」と読む。

なりたち

おのの　かたちで、
ぶきのこと。

ぶきを　つかって　いくさに
かち、てんかを　じぶんの　ものに
した　人のことから、〈おうさま〉
をあらわす。

となえかた

 よこ

 たて

 よこで

 よこながく

きを　つけよう　「王さま」は「おおさま」ではなく「おうさま」。

車（くるま）の部・7画
□その他型／一（よこぼう）

くん くるま　糸まきで、おもちゃの車をつくる。
　　　　　　　風車をもって、はしる。
おん シャ　　自転車で、おつかいにいく。
　　　　　　　バスの車内は禁煙です。

いみ ❶**くるま・輪の回転ではしるのりもの**●車庫・車掌・車窓・車体・車中・車道・車内・車両・機関車・汽車・下車・自転車・乗車・中古車・馬車・列車・山車　❷**じくを中心に回転するもの**●車軸・車輪・滑車・水車・風車(風車)
●特別な読み…(山車)

なりたち	となえかた
⊞⊞ → 車 → 車　りょうがわに しゃりんの ついた くるまの かたち。	車　よこ 車　白 車　よこぼう 車　たてながく

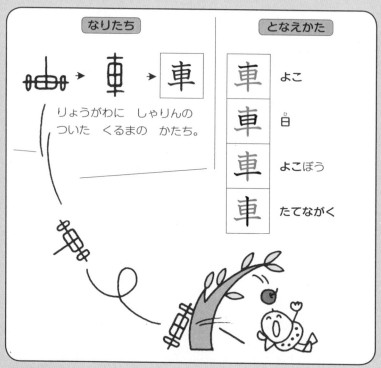

きを つけよう　車の 下の よこぼうは 上の よこぼうより ながく かく。

玉(たま)の部・5画
□ その他型／一(よこぼう)

- **くん** たま　シャボン玉が、口に入っちゃった。
  玉砂利をふむ。
- **おん** ギョク　うつくしい宝玉でかざられた、むかしのつるぎ。
  玉石は、よいものと、わるいもののいみ。

いみ ❶たま・たからの石●玉砂利・玉手箱・曲玉・玉石・珠玉・宝玉
❷うつくしいもののたとえ●玉座・玉露・金科玉条　❸まるいかたちのもの●あめ玉・シャボン玉・ビー玉・目玉

なりたち

ほうせきを ひもで つないだ かたち。

たからの たまの かたちから、〈たま〉の いみをあらわした。
王さまの「王」と くべつするため、てんをつけた。

となえかた

玉　よこ
玉　たて
玉　よこ
玉　よこ
玉　てんつける

きを つけよう　玉と にている字…王

糸(いと)の部・6画
□その他型／ノ(ななめぼう)

くん いと　糸がきれて、ふうせんは空へとんでいった。
　　　　　青い毛糸で、セーターをあむ。
おん シ　　製糸工場を見学する。

いみ ❶いと●糸くず・糸巻き・生糸・毛糸・たこ糸・縦糸・横糸・一糸・金糸・銀糸・絹糸(絹糸)・製糸・綿糸　❷ほそいもの●糸昆布・糸竹

なりたち

かいこの　はく　いとを
たばねた　かたちで
〈いと〉を　あらわした。

となえかた

糸　く
糸　ムとつづけて
糸　たて
糸　チョン　チョン

きを　つけよう　糸の「小」を「水」と　しない。

一(いち)の部・1画
□その他型／一(よこぼう)

くん ひと　　ここらで**一**休みしよう。
　　　　ひとつ　大きな赤いリンゴを**一**つもらった。
おん イチ　　屋根の上にカラスが**一**羽いる。
　　　　イツ　　**一**本のえんぴつを長くもたせる。

いみ ❶いち・ひとつ ● 一員・一日・一等・一本・唯一・一人　❷はじめ・さいしょ ● 一番・一着・第一・一日　❸すべて・ぜんぶ ● 一同・一気・一切・一式・一生・一体　❹ちょっと・わずか ● 一息・一休み・一時・一考・一服　❺ひととおり ● 一通り・一応・一理
● 特別な読み…一日・一人

なりたち	となえかた
→ 一 → 一　ひとさしゆびをのばして、一をあらわした。この　かたちから〈ひとつ・はじめ・ちょっと〉などのいみを　もつようになった。	一　よこぼうひとつ　左から

クイズ　一をきいて□をしる　□に入るのは？　①十　②百　③千

二(に)の部・2画
上下型／一(よこぼう)

くん ふた　　はっきりした二重まぶた。
　　　ふたつ　どんぐりを二つひろった。
おん ニ　　　二羽の、かわいい子スズメ。

いみ **❶に・ふたつ**●二親・二学期・二重(二重)・二重人格・二転三転・二人三脚・二百十日・二十日・二人・二日・十重二十重・二十・二十歳　**❷つぎ・にばんめ**●二階・二軍・二次会・二世・二の足・二の次・二番煎じ・二毛作
●**特別な読み**…二十日・二人・二日・(十重二十重・二十・二十歳)

なりたち

ちょきの　かたちに
ゆびを　だして、二を
あらわした。

この　かたちから〈ふたつ・つぎ〉
などの　いみにもなった。

となえかた

よこぼう２ほん
したながく

きを　つけよう　二の下のよこぼうは上のよこぼうよりながくかく。

一(いち)の部・3画
上下型／一(よこぼう)

- **くん** み　　　夜空に三日月をみつけた。
- みつ　　オリオン座の三つ星をみつけた。
- みっつ　ケーキのうえに、イチゴが三つのっている。
- **おん** サン　　「三びきの子ぶた」は、イギリスのむかしばなしです。

いみ ❶さん・みっつ　●三日月・三毛・三角形・三が日・三脚・三差路・三振・三面記事・三輪車・三味線　❷たびたび・しばしば　●三省・三拝九拝・再三
●**特別な読み**…(三味線)

なりたち

 →

ゆびを 三ぼん のばして、
三を あらわした。

おなじものを みっつ あつめた
かたちは、ものが おおいことを
あらわし、〈たびたび・しばしば〉
などの いみもあらわした。

となえかた

三　まんなか
　　みじかく
　　よこぼう3ぼん

きを つけよう　三の まんなかの よこぼうは みじかく かく。

口(くにがまえ)の部・5画
その他型/1(たてぼう)

くん よ　四時までに家にかえる。
　　　　よつ　四つ角にあるポスト。
　　　　よっつ　ミカンを四つたべた。
　　　　よん　ふでばこに、えんぴつが四本。
おん シ　四角いおりがみを半分にきる。

いみ ❶し・よん・よっつ● 四つ角・四角形・四季・四国・四捨五入・四辺形・四方・四面・長四角・真四角　❷なんども● 四苦八苦・再三再四

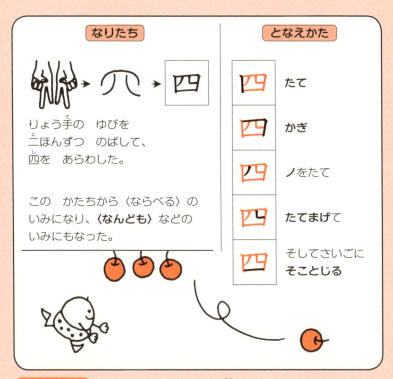

なりたち

りょう手の ゆびを
二ほんずつ のばして、
四を あらわした。

この かたちから〈ならべる〉の
いみになり、〈なんども〉などの
いみにもなった。

となえかた

四	たて
四	かぎ
四	ノをたて
四	たてまげて
四	そしてさいごに そことじる

きを つけよう　四の「ル」は よこぼうの上に つきてない。

その他

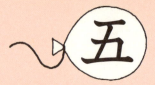 五

二(に)の部・4画
□ その他型／一(よこぼう)

くん いつ　　四月**五**日は、わたしのたんじょう日。
　　　 いつつ　かん字を**五**つかく。
おん ゴ　　　**五**月の空に、こいのぼりが上がる。
　　　　　　　おいしい**五**目飯をたべた。
　　　　　　　七五三のおいわいも、こんどでおしまい。

いみ ご・いつつ ●五感・五穀・五指・五色・五七調・五十音・五線・五臓・五体・五人ばやし・五分五分・五目飯・七五三・五月・五月雨
●**特別な読み**…（五月・五月雨）

なりたち

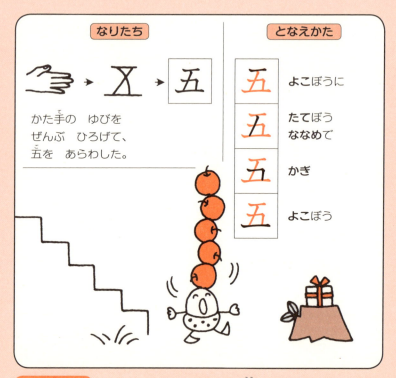

かた手の ゆびを ぜんぶ ひろげて、五を あらわした。

となえかた

五　よこぼうに
五　たてぼう ななめで
五　かぎ
五　よこぼう

きを つけよう　五の ななめの たてぼうは 上に つきてない。

その他

八(はち)の部・4画
上下型／丶(てん)

- **くん** む　　五、六、七、八と、おてだまをかぞえる。
  - むつ　　六つの花とは、雪のべつのいいかたです。
  - むっつ　クリを六つたべた。
  - むい　　かぜで六日休んだ。
- **おん** ロク　長さ六メートルの長いひも。
  - 第六感がはたらく。

いみ ろく・むっつ ● 六三制・六地蔵・六面体・六法全書・五臓六腑・第六感

なりたち

りょう手の ゆびを 三ぼんずつ だして、六を あらわした。

となえかた

六　てん 一に
六　左ははらって 右はチョン

きを つけよう　六の「八」を「へ」と しない。

その他

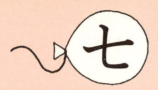 七

一(いち)の部・2画
□その他型／一(よこぼう)

くん なな　春の**七**草と、秋の**七**草をとなえてあそんだ。
　　　ななつ　ブドウの実を、**七**つずつわける。
　　　なの　運動会まで、あと**七**日だ。
おん シチ　**七**ひきの子やぎのおはなし。

いみ ❶**しち・なな**●七草・七五三・七五調・七福神・七変化・お七夜・七夕　❷**かずのおおいこと**●七重八重・七転び八起き・七転八倒・七面鳥

●**特別な読み**…七夕
●**読み方に注意**…「七日」は「なぬか」とも読む。

なりたち

七 → 七

五ほんの　ゆびと
二ほんの　ゆびを　かさねて、
七を　あらわした。

となえかた

七　よこぼうに

七　たてまげる

きを　つけよう　音よみは「ひち」ではなく「しち」。

その他

八(はち)の部・2画
左右型／ノ(ななめぼう)

- **くん** や　　　八重咲きの花。
  - やつ　　友だちに八つ当たりするのはやめよう。
  - やっつ　クリを八つひろった。
  - よう　　四月八日は花まつり。
- **おん** ハチ　タコの足は八本。
  - 八十八夜につんだ新茶。

いみ ❶はち・やっつ●八十八夜・八代集・八頭身・八方　❷かずのおおいこと●八重・八千草・八千代・八つ当たり・八方美人・八百屋
●特別な読み…八百屋・(八百長)

なりたち

りょう手の　ゆびを
四ほんずつ　むかい
あわせた　かたちで、
八を　あらわした。

八は、ふたつに　わけやすい
かずなので、わける　という
いみもある。

となえかた

八　左にはらって

八　右ばらい

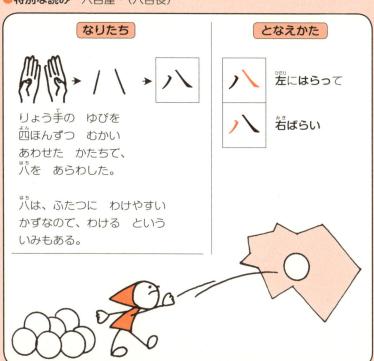

クイズ　□か八か　□に入るのは？　①一　②二　③三

| その他 |  | 乙(おつ)の部・2画 □その他型／ノ(ななめぼう) |

くん ここの　九日後に手紙の返事がとどいた。
　　　 ここのつ　ミカンが、九つある。
おん キュウ　たんじょう日のケーキに、ろうそくが九本ならんだ。
　　　 ク　　　九人の兄弟がいる。
　　　 　　　　かけ算の九九をおぼえる。

いみ ❶きゅう・ここのつ ●九州・九九・九分通り　❷かずのおおいこと
　　　●九重・三拝九拝

なりたち

ひじを　まげ、ぐっと
ひきしめた　かたち。

いきどまり　という　いみの
ひじを　まげた　かたちから
一から九までの　すうじの　うち、
さいごの　すうじの　ことで、
〈ここのつ〉の　こと。また〈かずの
おおいこと〉の　いみもある。

となえかた

| 九 | ノをかいて |
| 九 | かぎまげ（そと）はねる |

きを　つけよう　九と　にている字…丸

その他

十（じゅう）の部・2画
□ その他型／一（よこぼう）

- **くん** とお 十日間、雨がふっていない。
- と 人のこのみは十人十色だ。
- **おん** ジュウ きょうは十五夜、お月見だ。
- ジッ 牛が十頭いる。

いみ ❶じゅう・とお ●十進法（十進法）・十五夜・十二支・二十日・十重二十重・二十・二十歳 ❷ぜんぶ・すっかり ●十全・十分 ❸かずのおおいこと ●十人十色 ❹十の字のかたち ●十字架・十字路

●特別な読み…二十日・（十重二十重・二十・二十歳）
●読み方に注意…「十進法」「十頭」などのときは、「十」は「じゅっ」とも読む。

なりたち	となえかた
 → 	よこぼうかいて
一から 十までの ぜんぶを 一ぽんに まとめた かたち。	たてぼうおろす
この かたちで〈とお〉の いみになった。また、〈ぜんぶ・すっかり〉などの いみもあらわす。	

クイズ 「一から十まで」の いみは？ ①すこし ②ながい ③ぜんぶ

白(しろ)の部・6画
□ その他型／一(よこぼう)

くん ——
おん ヒャク　十が十こあつまると百。
百科事典をしらべる。

いみ ❶ひゃく● 百円・百人一首・百年・百分率　❷かずが、ひじょうに多いこと● 百害・百獣の王・百戦練磨・百面相・百薬の長・百花・百科事典・百貨店・百発百中・八百屋
● 特別な読み…八百屋・(八百長)

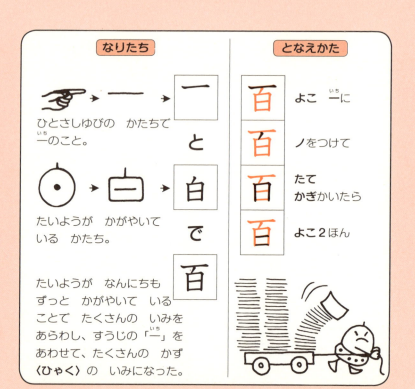

きを　つけよう　百と　にている字…白

十(じゅう)の部・3画
□その他型／ノ(ななめぼう)

くん ち　千代紙で、おひなさまをつくる。
おん セン　千手観音様をおがむ。
　　　　千は百の十ばいだ。
　　　　きみが協力してくれたら、千人力だ。

いみ ❶せん ● 千円・千人・千枚　❷かずのおおいこと ● 千代・千代紙・千客万来・千差万別・千秋・千手観音・千人力・千羽鶴・千里眼

なりたち

人びとを ひとまとめにした かたちで たくさんの へいたいの こと。

この かたちから〈せん〉の いみになった。

となえかた

千　ノをかいて
千　よこぼう かいたら
千　たてながく

きを つけよう　千を「干」と しない。

| その他 |  | 一(いち)の部・3画 □ その他型／1(たて) |

くん うえ　上をむく。　　　うわ　上着をぬぐ。
　　　かみ　上手にすわる。　　あげる　幕を上げる。
　　　あがる　舞台に上がる。　のぼる　頭に血が上る。
　　　(のぼせる)　話題に上せる。　(のぼす)　食卓に上す。
おん ジョウ　兄が上京する。　(ショウ)　えらい上人様。

いみ ❶うえ・たかいところ● 上書き・上着・上手・上京・上空・屋上・頂上　❷すぐれている● 上質・上人・上手　❸はじめのほう● 上巻・上旬・上流　❹あがる・あげる● 上り坂・上陸
● 特別な読み…上手
● 送りがなに注意…「売上高」は、「売り上げ高」とは書かない。

なりたち

そらを あらわす せんの
うえに、しるしを つけた
かたち。

しるしが せんより うえに
あるので、〈うえ〉の いみを
あらわす。

となえかた

上　たて

上　よこかいて

上　よこぼうながく

きを つけよう　「上る」は「上ぼる」としない。

その他

 下

一(いち)の部・3画
□その他型／一(よこぼう)

くん	した	机の下。	しも	川下でおよぐ。
	さげる	頭を下げる。	さがる	熱が下がる。
	くだる	川を下る。	くだす	判決を下す。
	くださる	ほうびを下さる。	おろす	荷を下ろす。
	おりる	山を下りる。	(もと)	親の下をはなれる。
おん	カ	地下鉄にのる。	ゲ	途中下車をする。

いみ ❶した・ひくいところ●川下・下位・下級・下方・下流・地下・地下鉄・下手 ❷おりる・くだる●下降・下山・下車 ❸さがる・さげる●下校
●特別な読み…下手

なりたち

そらを あらわす せんの したに、しるしを つけた かたち。

しるしが せんより したに あるので、〈した〉の いみを あらわす。

となえかた

 よこぼう

 たてぼう

 てんつける

さんこう　下の はんたいの いみの字…上

|(たてぼう)の部・4画
□その他型／|(たてぼう)

- **くん** なか　　カエルがあわてて、池の**中**へとびこんだ。
- **おん** チュウ　円の**中**心点。ふき矢がまとに命**中**した。
- 　　　ジュウ　きょうは一日**中**、雨がふっていた。

いみ ❶ちゅうしん・まんなか●中央・中心・中立・中和　❷なかば・あいだ・とちゅう●中庭・中身・中休み・中指・中型・中間・中級・中止・中断・中日・車中　❸あたる●中毒・的中・命中

なりたち

こまの まんなかを しんぼうが とおって いる かたち。

しんぼうが どちらにも かたよらないで、まんなかを とおる ことから〈まんなか・ちゅうしん〉の いみをあらわす。

となえかた

中　たて
中　かぎ
中　よこて
中　まんなか たてぼう

きを つけよう　中と にている字…申

小（しょう）の部・3画

左右型／｜（たてぼう）

くん ちいさい　あれれ！こびとが**小さ**くなっちゃった。
　　　 こ　　　　**小鳥**がうつくしい声でなく。
　　　 お　　　　きれいな**小川**の水。
おん ショウ　　もらったミカンを**大小**にわける。

いみ ❶ちいさい・すこし・ちょっと・こまかい●小川・小石・小売り・小声・小言・小細工・小雨・小銭・小鳥・小人・小麦・小物・小屋・小指・小食・小腸・過小・最小・弱小・大小・小豆 ❷つまらない●小人物 ❸おさない・わかい●小僧・小学生・小児
●**特別な読み**…(小豆)

なりたち

ちいさい　てんを　みっつ
かいた　かたち。

この　かたちから〈ちいさい〉
ことを　あらわす。

となえかた

たてぼうはねて

チョン　チョン
つける

さんこう　　小の　はんたいの　いみの字…大

あれ　あれ、
こびとが　小さく なっちゃった。

どうしたら　もとのように
なれるかしら？

「ヒデ
アタタマラナイデ、
ヒデ
アタタマリナサイ。」

おしゃべりどりが
おしえてくれました。
どうしたら いいか
わかったでしょうか？

大きくなった！

「ひらがなと カタカナは、
"おと"を あらわすけれど、
かん字は、
"ことばと いみ"を あらわすんだよ。」
と、どんぐりが
おしえてくれました。

もとのように 大きくなった こびとと
どんぐりが、
よろこんで あるいていくと、
ちっちゃな くだものと かぎが
ありました。

「この くだものと かぎも、
日で あたためて 大きくしてみよう。」

クイズの こたえ

● **えもじ クイズ** (38ページ)
石が ごろごろした川を わたると、人が だれもいない森が あります。女の子が、そこから きのこを とってきました。
火で やいて たべて ください。

● **けいさん クイズ** (55ページ)
林＋木＝森　　森－木＝林
ナ＋ロ＝右　　早－十＝日
一＋土＝王　　天－一＝大

● **かくれんぼ クイズ** (79ページ)
口 日 田 土 十 三 二 一 王
中 山 早 工 由 甲 士 など

こんな つかいかたも ありますよ

あす	明日	ひとり	一人
おとな	大人	ふたり	二人
かわら	川原	ふつか	二日
きのう	昨日	へた	下手
きょう	今日	まいご	迷子
ことし	今年	まじめ	真面目
しみず	清水	まっか	真っ赤
じょうず	上手	まっさお	真っ青
たなばた	七夕	やおや	八百屋
ついたち	一日		
てつだう	手伝う		
はつか	二十日		

くだものが 大(おお)きくなった。
なにか かいてあるよ。

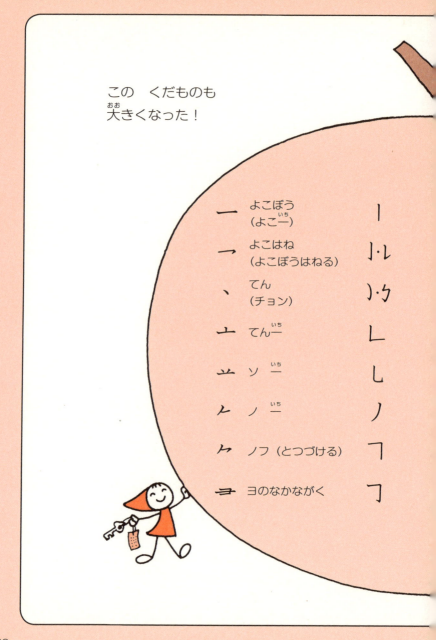

この くだものも
大きくなった！

一 よこぼう
（よこ一）

一 よこはね
（よこぼうはねる）

、 てん
（チョン）

亠 てん一

䒑 ソ一

勹 ノ一

勹 ノフ（とつづける）

ヨ ヨのなかながく

となえかたの やくそく

たてぼう （たて）	フ	かぎまげ （うち）はね	
たてはね （たてぼうはねる）	乙・て	かぎまげ （そと）はね	
たて（ぼう） まげはね	ろ・3	フにつづける フをつづける	
たてまげ	╱	もちあげる	
たてまげはねる	ノ	左(ひだり)ばらい	
たてたノ （ノをたてる）	＼	右(みぎ)ばらい	
かぎ	乂	左右(さゆう)にはらう	
かぎはね	ㄨ	りょうばらい	

かぎも 大きくなった！
ほうらね。

かん字を
さがすときは
〈さくいん〉の
とびらを
あけてごらん。

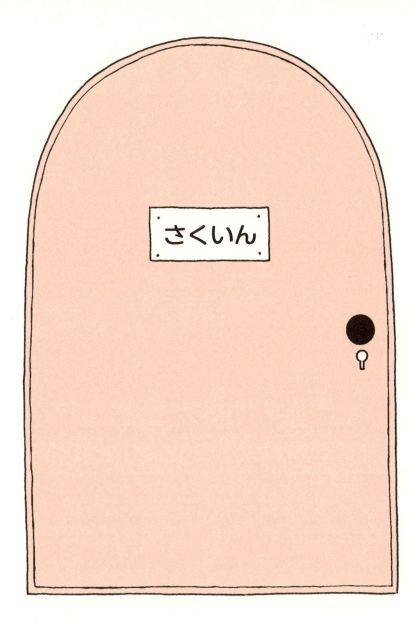

おん/くん さくいん

❶ 読みのわかっている漢字をしらべるときにつかいます。
❷ カタカナは音読み、ひらがなは訓読み、細字は送りがなです。（ ）は、小学校で習わない読みです。
❸ 五十音順で、音読み、訓読みの順にならべてあります。同じ読みの場合は、画数の少ない順です。
❹ 数字は、その漢字がのっているページです。

あ

あお	青	50
あおい	青	50
あか	赤	76
あかい	赤	76
あからむ	赤	76
あからめる	赤	76
あがる	上	94
あく	空	73
あける	空	73
あげる	上	94
（あざ）	字	22
あし	足	34
あま	天	15
あま	雨	62
あめ	雨	62

（あめ）	天	15

い

いかす	生	51
いきる	生	51
いける	生	51
いし	石	67
イチ	一	82
イツ	一	82
いつ	五	86
いつつ	五	86
いと	糸	81
いぬ	犬	39
いる	入	72
いれる	入	72
（イン）	音	29

う

ウ	右	33
ウ	雨	62
うえ	上	94
うまれる	生	51
うむ	生	51
うわ	上	94

え

エン	円	54

お

お	小	97
オウ	王	77

（おう）	生………51
おお	大………14
おおいに	大………14
おおきい	大………14
おと	音………29
おとこ	男………70
おりる	下………95
おろす	下………95
オン	音………29
おんな	女………20

ク	九………90
ク	口………26
クウ	空………73
くさ	草………49
くださる	下………95
くだす	下………95
くだる	下………95
くち	口………26
くるま	車………78

カ	下………95
カ	火………75
カ	花………48
か	日………56
かい	貝………41
ガク	学………23
ガツ	月………59
かな	金………68
かね	金………68
かみ	上………94
から	空………73
かわ	川………64

ケ	気………63
ゲ	下………95
ゲツ	月………59
ケン	犬………39
ケン	見………25

キ	気………63
き	木………42
（き）	生………51
キュウ	九………90
キュウ	休………19
ギョク	玉………80
キン	金………68

こ	子………21
こ	小………97
こ	木………42
ゴ	五………86
コウ	口………26
コウ	校………47
（コク）	石………67
ここの	九………90
ここのつ	九………90
コン	金………68

サ	左	32
さがる	下	95
さき	先	37
さげる	下	95
(サッ)	早	57
サン	三	84
サン	山	66

シ	子	21
シ	四	85
シ	糸	81
ジ	字	22
(ジ)	耳	28
した	下	95
シチ	七	88
ジツ	日	56
ジッ	十	91
しも	下	95
シャ	車	78
シャク	石	67
(シャク)	赤	76
シュ	手	30
ジュウ	十	91
ジュウ	中	96
シュツ	出	36
ジョ	女	20
ショウ	小	97
ショウ	正	35
ショウ	生	51
(ショウ)	上	94
(ショウ)	青	50

ジョウ	上	94
しら	白	58
しろ	白	58
しろい	白	58
シン	森	45
ジン	人	18

ス	子	21
スイ	水	65
(スイ)	出	36

セイ	正	35
セイ	生	51
セイ	青	50
セキ	石	67
セキ	赤	76
(セキ)	夕	60
セン	千	93
セン	先	37
(セン)	川	64

ソウ	早	57
ソウ	草	49
ソク	足	34
そら	空	73
ソン	村	46

た	田………69
(た)	手………30
タイ	大………14
ダイ	大………14
たけ	竹………53
たす	足………34
だす	出………36
ただしい	正………35
ただす	正………35
たつ	立………16
たてる	立………16
たま	玉………80
たりる	足………34
たる	足………34
ダン	男………70

ち	千………93
ちいさい	小………97
ちから	力………31
チク	竹………53
チュウ	中………96
チュウ	虫………40
チョウ	町………71

つき	月………59
つち	土………74

て	手………30
でる	出………36
テン	天………15
デン	田………69

ト	土………74
と	十………91
ド	土………74
とお	十………91
とし	年………52

な	名………27
なか	中………96
なな	七………88
ななつ	七………88
なの	七………88
なま	生………51
ナン	男………70

ニ	二………83
ニチ	日………56
ニュウ	入………72
(ニョ)	女………20
(ニョウ)	女………20
ニン	人………18

115

ね

ね	音………29
ネン	年………52

の

(のぼす)	上………94
(のぼせる)	上………94
のぼる	上………94

は

はいる	入………72
はえる	生………51
ハク	白………58
ハチ	八………89
はな	花………48
はやい	早………57
はやし	林………44
はやす	生………51
はやまる	早………57
はやめる	早………57

ひ

ひ	日………56
ひ	火………75
ひだり	左………32
ひと	一………82
ひと	人………18
ひとつ	一………82
ヒャク	百………92
(ビャク)	白………58

ふ

ふた	二………83
ふたつ	二………83
(ふみ)	文………17
ブン	文………17

ほ

(ほ)	火………75
ボク	木………42
(ボク)	目………24
ホン	本………43

ま

(ま)	目………24
まさ	正………35
まち	町………71
まなぶ	学………23
まるい	円………54

み

み	三………84
みえる	見………25
みぎ	右………33
みず	水………65
みせる	見………25
みつ	三………84
みっつ	三………84
みみ	耳………28
ミョウ	名………27
みる	見………25

む

む	六	87
むい	六	87
むし	虫	40
むつ	六	87
むっつ	六	87
むら	村	46

め

め	目	24
(め)	女	20
メイ	名	27

も

モク	木	42
モク	目	24
もと	本	43
(もと)	下	95
もり	森	45
モン	文	17

や

や	八	89
やすまる	休	19
やすむ	休	19
やすめる	休	19
やつ	八	89
やっつ	八	89
やま	山	66

ゆ

ユウ	右	33
ゆう	夕	60

よ

よ	四	85
よう	八	89
よつ	四	85
よっつ	四	85
よん	四	85

り

リキ	力	31
リツ	立	16
(リュウ)	立	16
リョク	力	31
リン	林	44

ろ

ロク	六	87

画さくいん

❶ 読みのわからない漢字をしらべるときにつかいます。
❷ 画数の少ない順にならべてあります。画数が同じものは、音読みの五十音順です。
❸ 数字は、その漢字がのっているページです。

犬	…………39
五	…………86
手	…………30
水	…………65
中	…………96
天	…………15
日	…………56
文	…………17
木	…………42
六	…………87

1画

一 …………82

2画

九	…………90
七	…………88
十	…………91
人	…………18
二	…………83
入	…………72
八	…………89
力	…………31

3画

下	…………95
口	…………26
三	…………84
山	…………66
子	…………21
女	…………20
小	…………97
上	…………94
夕	…………60
千	…………93
川	…………64
大	…………14
土	…………74

4画

円	…………54
王	…………77
火	…………75
月	…………59

5画

右	…………33
玉	…………80
左	…………32
四	…………85
出	…………36
正	…………35
生	…………51
石	…………67
田	…………69
白	…………58
本	…………43
目	…………24
立	…………16

6画

気 ……… 63
休 ……… 19
糸 ……… 81
字 ……… 22
耳 ……… 28
先 ……… 37
早 ……… 57
竹 ……… 53
虫 ……… 40
年 ……… 52
百 ……… 92
名 ……… 27

7画

花 ……… 48
貝 ……… 41
見 ……… 25
車 ……… 78
赤 ……… 76
足 ……… 34
村 ……… 46
男 ……… 70
町 ……… 71

8画

雨 ……… 62
学 ……… 23
金 ……… 68
空 ……… 73
青 ……… 50
林 ……… 44

9画

音 ……… 29
草 ……… 49

10画

校 ……… 47

12画

森 ……… 45

部首さくいん

① ここでは、1年生でならう漢字を部首ごとにまとめました。
② 部首は、画数順にならべてあります。
③ 同じ部首のなかでは、漢字の画数の少ない順にならべてあります。画数が同じものは、音読みの五十音順です。
④ 数字は、その漢字がのっているページです。
＊部首のよび名や分け方は、辞典によってことなることがあります。

一 (いち) の部

一 ………… 82
七 ………… 88
下 ………… 95
三 ………… 84
上 ………… 94

丨 (たてぼう) の部

中 ………… 96

乙 (おつ) の部

九 ………… 90

二 (に) の部

二 ………… 83
五 ………… 86

人 (ひと) の部
イ (にんべん)

人 ………… 18
休 ………… 19

儿 (ひとあし) の部

先 ………… 37

入 (いる) の部

入 ………… 72

八 (はち) の部

八 ………… 89
六 ………… 87

冂 (どうがまえ) の部

円 ………… 54

凵 (うけばこ) の部

出 ………… 36

力 (ちから) の部

力 ………… 31

十 (じゅう) の部

十 ………… 91
千 ………… 93

口 (くち) の部

口 ………… 26
右 ………… 33
名 ………… 27

囗 (くにがまえ) の部

四 ………… 85

土(つち)の部
土 ………… 74

夕(た)の部
夕 ………… 60

大(だい)の部
大 ………… 14
天 ………… 15

女(おんな)の部
女 ………… 20

子(こ)の部
子 ………… 21
字 ………… 22
学 ………… 23

小(しょう)の部
小 ………… 97

山(やま)の部
山 ………… 66

川(かわ)の部
川 ………… 64

工(え)の部
左 ………… 32

干(いちじゅう)の部
年 ………… 52

艹(くさかんむり)の部
花 ………… 48
草 ………… 49

手(て)の部
手 ………… 30

文(ぶん)の部
文 ………… 17

日(ひ)の部
日 ………… 56
早 ………… 57

月(つき)の部
月 ………… 59

木(き)の部
木(きへん)
木 ………… 42
本 ………… 43
村 ………… 46
林 ………… 44
校 ………… 47
森 ………… 45

止(とめる)の部
正 ………… 35

犬(いぬ)の部
犬 ………… 39

气(きがまえ)の部
気 ………… 63

水(みず)の部
水 ………… 65

火(ひ)の部
火 ………… 75

玉(たま)の部
王 ………… 77
玉 ………… 80

生(うまれる)の部
生 ………… 51

田(た)の部
田 ………… 69
男 ………… 70
町 ………… 71

白(しろ)の部
白 ………… 58
百 ………… 92

目(め)の部
目 ………… 24

石(いし)の部
石 ………… 67

穴(あな)の部
穴(あなかんむり)
空 ………… 73

立(たつ)の部
立 ………… 16

竹(たけ)の部
竹 ………… 53

糸(いと)の部
糸 ………… 81

耳(みみ)の部
耳 ………… 28

虫(むし)の部
虫 ………… 40

見(みる)の部
見 ………… 25

貝(かい)の部
貝 ………… 41

赤(あか)の部
赤 ………… 76

足(あし)の部
足 ………… 34

車(くるま)の部
車 ………… 78

金(かね)の部
金 ………… 68

雨(あめ)の部
雨 ………… 62

青(あお)の部
青 ………… 50

音(おと)の部
音 ………… 29

下村式　はやくりさくいん®

❶ 読みや画数がわからなくても、「型」と「書きはじめ（書き順の一画め）」を手がかりに漢字をさがすことができます。型ごとに、書きはじめでわけた漢字を、画数の少ない順にならべ、画数が同じものは、音読みの五十音順にならべてあります。

3つの型	左右型	たてのまっすぐな線、またはへん・つくりなどで、左右にわけられる（川、休など）
	上下型	よこのまっすぐな線、またはかんむり・あしなどで、上下にわけられる（六、草など）
	その他型	左右にも上下にもわけづらい（耳、夕など）

4つの書きはじめ	一（よこぼう）	書きはじめが 一（十、木など）
	｜（たてぼう）	書きはじめが ｜（目、口など）
	ノ（ななめぼう）	書きはじめが ノ（休、竹など）
	丶（てん）	書きはじめが 丶（空、音など）

❷ 型や書きはじめをまようものも、さがせるようになっています。本文にある型とちがうものや、書きはじめをまちがえやすいものは、赤字でしめしてあります。
❸ 数字は、その漢字がのっているページです。

左右型

一（よこぼう）
村 ・・・・・・・・・・・・・ 46
林 ・・・・・・・・・・・・・ 44
校 ・・・・・・・・・・・・・ 47

｜（たてぼう）
小 ・・・・・・・・・・・・・ 97
水 ・・・・・・・・・・・・・ 65
町 ・・・・・・・・・・・・・ 71

ノ（ななめぼう）
八 ・・・・・・・・・・・・・ 89
川 ・・・・・・・・・・・・・ 64
休 ・・・・・・・・・・・・・ 19

竹 ・・・・・・・・・・・・・ 53

上下型

一（よこぼう）
二 ・・・・・・・・・・・・・ 83
三 ・・・・・・・・・・・・・ 84
天→その他型 ・・・・ 15
石→その他型 ・・・・ 67
花 ・・・・・・・・・・・・・ 48
青 ・・・・・・・・・・・・・ 50
草 ・・・・・・・・・・・・・ 49
森 ・・・・・・・・・・・・・ 45

｜（たてぼう）
貝 ・・・・・・・・・・・・・ 41

見 ・・・・・・・・・・・・・ 25
男→その他型 ・・・・ 70

ノ（ななめぼう）
気 ・・・・・・・・・・・・・ 63
先 ・・・・・・・・・・・・・ 37
金→その他型 ・・・・ 68

丶（てん）
文→その他型 ・・・・ 17
六 ・・・・・・・・・・・・・ 87
立→その他型 ・・・・ 16
字 ・・・・・・・・・・・・・ 22
学 ・・・・・・・・・・・・・ 23
空 ・・・・・・・・・・・・・ 73
音 ・・・・・・・・・・・・・ 29

□ その他型

一（よこぼう）
- 一 ・・・・・・・・・・・・ 82
- 九→ななめぼう ・・ 90
- 七 ・・・・・・・・・・・・ 88
- 十 ・・・・・・・・・・・・ 91
- 二→上下型 ・・・・・ 83
- 力 ・・・・・・・・・・・・ 31
- 下 ・・・・・・・・・・・・ 95
- 三→上下型 ・・・・・ 84
- 子 ・・・・・・・・・・・・ 21
- 女→ななめぼう ・・ 20
- 上→たてぼう ・・・・ 94
- 大 ・・・・・・・・・・・・ 14
- 土 ・・・・・・・・・・・・ 74
- 王 ・・・・・・・・・・・・ 77
- 犬 ・・・・・・・・・・・・ 39
- 五 ・・・・・・・・・・・・ 86
- 天 ・・・・・・・・・・・・ 15
- 木 ・・・・・・・・・・・・ 42
- 右→ななめぼう ・・ 33
- 玉 ・・・・・・・・・・・・ 80
- 左 ・・・・・・・・・・・・ 32
- 正 ・・・・・・・・・・・・ 35
- 石 ・・・・・・・・・・・・ 67
- 本 ・・・・・・・・・・・・ 43
- 耳 ・・・・・・・・・・・・ 28
- 百 ・・・・・・・・・・・・ 92
- 車 ・・・・・・・・・・・・ 78
- 赤 ・・・・・・・・・・・・ 76
- 雨 ・・・・・・・・・・・・ 62

｜（たてぼう）
- 口 ・・・・・・・・・・・・ 26
- 山 ・・・・・・・・・・・・ 66
- 小→左右型 ・・・・・ 97
- 上 ・・・・・・・・・・・・ 94
- 円 ・・・・・・・・・・・・ 54
- 水→左右型 ・・・・・ 65
- 中 ・・・・・・・・・・・・ 96
- 日 ・・・・・・・・・・・・ 56
- 四 ・・・・・・・・・・・・ 85
- 出 ・・・・・・・・・・・・ 36
- 田 ・・・・・・・・・・・・ 69
- 目 ・・・・・・・・・・・・ 24
- 早 ・・・・・・・・・・・・ 57
- 虫 ・・・・・・・・・・・・ 40
- 貝→上下型 ・・・・・ 41
- 見→上下型 ・・・・・ 25
- 足 ・・・・・・・・・・・・ 34
- 男 ・・・・・・・・・・・・ 70

ノ（ななめぼう）
- 九 ・・・・・・・・・・・・ 90
- 人 ・・・・・・・・・・・・ 18
- 入 ・・・・・・・・・・・・ 72
- 八→左右型 ・・・・・ 89
- 女 ・・・・・・・・・・・・ 20
- 夕 ・・・・・・・・・・・・ 60
- 千 ・・・・・・・・・・・・ 93
- 川→左右型 ・・・・・ 64
- 月 ・・・・・・・・・・・・ 59
- 手 ・・・・・・・・・・・・ 30
- 右 ・・・・・・・・・・・・ 33
- 生 ・・・・・・・・・・・・ 51
- 白 ・・・・・・・・・・・・ 58
- 気→上下型 ・・・・・ 63
- 糸 ・・・・・・・・・・・・ 81
- 先→上下型 ・・・・・ 37
- 竹→左右型 ・・・・・ 53
- 年 ・・・・・・・・・・・・ 52
- 名 ・・・・・・・・・・・・ 27
- 金 ・・・・・・・・・・・・ 68

、（てん）
- 火 ・・・・・・・・・・・・ 75
- 文 ・・・・・・・・・・・・ 17
- 六→上下型 ・・・・・ 87
- 立 ・・・・・・・・・・・・ 16
- 字→上下型 ・・・・・ 22
- 学→上下型 ・・・・・ 23

クイズのこたえ

- 16ページ・・・②
- 24ページ・・・②
- 26ページ・・・③
- 28ページ・・・③
- 30ページ・・・①
- 34ページ・・・①
- 40ページ・・・②
- 42ページ・・・林・森
- 45ページ・・・③
- 48ページ・・・②
- 53ページ・・・③
- 59ページ・・・①
- 63ページ・・・①
- 67ページ・・・③
- 75ページ・・・②
- 82ページ・・・①
- 89ページ・・・①
- 91ページ・・・③

漢字ファミリー分類表

下村式の漢字学習ては、漢字を「なりたち」の意味から、人体①〜⑤・動物・植物・住居・自然・道具・服飾・その他の計12の「漢字ファミリー」にわけて学びます。

漢字ファミリーのシンボルマーク

人体　動物　植物　住居　自然　道具　服飾　その他

「漢字ファミリー分類表」は、小学校でならう漢字1026字を、漢字ファミリーごとにまとめて、ならべたものです。漢字の下の数字は、ならう学年です。色のついた数字は、この本にでてくる漢字です。
＊学年をこえて、なりたちを優先したのて、本文とは順番がかわっています。

こんなふうに　つかってみよう

ほかの学年では、おなじ漢字ファミリーのどんな漢字を学んだか、また、これからどんな漢字を学ぶのか、思いだしたり、たしかめたりすれば、学習が深まるでしょう。

人体①　全身（人の全身の形からできた字）

大	太	天	立	並	夫	失	央	交	文	幸	報	要	人	以
1	2	1	1	6	4	4	3	2	1	3	5	4	1	4
似	休	体	仏	伝	仁	仕	任	何	代	他	付	仲	仮	件
5	1	2	5	4	6	3	5	2	3	3	4	4	5	5
作	位	住	信	倍	低	供	使	便	例	側	価	値	係	保
2	4	3	4	3	4	6	3	4	4	4	5	6	3	5
候	修	借	個	俵	俳	優	健	停	備	働	佐	傷	像	億
4	5	4	5	5	6	6	4	5	5	4	4	5	5	4
聖	化	北	比	后	司	身	女	母	妻	姿	委	姉	妹	婦
6	3	2	5	6	4	3	1	2	5	6	3	2	2	5
好	始	媛	子	育	児	字	学	存	季	孫	乳	長	老	考
4	3	1	1	3	4	1	1	6	4	4	6	2	4	2
孝	欠	歌	次	欲	屋	届	展	病	痛	己	丸	巻	包	色
6	4	2	3	6	3	6	6	3	6	6	2	6	4	2
局	居	危	印	今	令	会	合	食	飲	飯	飼			
3	5	6	4	2	4	2	2	2	3	4	5			

人体② 頭（人の頭や顔の形からできた字）

看 見 目 願 類 題 領 預 順 額 顔 頭 面 真 首
6　1　1　6　3　3　4　6　6　3　2　3　3　3　2

口 民 夢 衆 臨 臣 観 親 視 規 覧 覚 相 眼 直 省
1　4　6　6　4　4　4　2　5　5　6　4　3　5　2　4

和 唱 吸 呼 味 可 句 号 喜 否 古 告 君 各 名 品
3　4　6　6　3　5　5　3　5　6　2　5　3　4　1　3

語 話 音 言 職 聞 耳 鼻 自 歯 辞 舌 商 問 周 命
2　2　2　2　5　2　1　3　2　3　4　5　3　3　4　3

設 訓 誌 詞 詩 訳 記 議 講 識 認 論 試 討 評 説 読
5　4　6　6　3　6　2　5　5　5　6　6　4　6　5　4　2

競 護 警 誕 諸 誤 調 謝 許 計 課 誠 試 談 証 訪
4　5　6　6　6　6　3　5　5　2　4　6　4　3　5　6

善
6

人体③ 手（人の手の形からできた字）

採 授 招 技 折 拝 捨 拾 打 投 持 指 友 公 挙 手
5　5　5　5　4　6　6　3　3　3　3　3　2　2　4　1

奏 弁 興 異 具 共 損 揮 提 推 接 担 拡 批 操 探
6　5　5　6　3　4　5　6　5　6　5　6　6　6　6　6

専 将 寺 寸 受 最 取 収 反 尺 差 左 右 有 尊 承
6　6　2　6　3　4　3　6　3　6　4　1　1　3　6　6

整 敵 敬 散 救 敗 数 教 政 故 放 改 就 射 対 導
3　6　6　4　5　4　2　2　5　5　3　4　6　6　3　5

事 書 史 争 支 殺 段
3　2　5　4　5　5　6

人体④ 足 (人の足の形からできた字)

足	路	止	正	出	歩	歴	疑	夏	発	登	先	元	兄	光	党
1	3	2	1	1	2	5	6	2	3	3	1	2	2	2	6

走	起	行	街	術	衛	往	復	径	役	後	待	徒	従	律	得
2	3	2	4	5	5	5	5	4	3	2	3	4	6	6	5

徳	道	通	進	遠	近	週	過	遊	迷	返	逆	達	追	退	連
4	2	2	3	2	2	2	5	3	5	3	5	4	3	6	4

速	運	送	述	辺	選	造	適	遺	帰	建	延
3	3	3	5	4	4	5	5	6	2	4	6

人体⑤その他 (人の体の中やうでの形からできた字)

心	思	意	念	想	感	応	急	息	志	忠	恩	愛	悲	悪	態
2	2	3	4	3	3	5	3	3	5	6	6	4	3	3	5

忘	憲	快	性	情	慣	肉	胃	背	脳	胸	肺	腹	腸	臓	脈
6	6	5	5	5	5	2	6	6	6	6	6	6	6	6	5

肥	骨	死	残	力	協	加	助	動	功	効	勤	勉	労	努	勇
5	6	3	4	1	4	4	3	3	4	5	6	3	4	4	4

勢	務	勝
5	5	3

動物 (動物の形からできた字)

犬	状	犯	独	牛	半	物	牧	特	羊	美	着	義	養	群	馬
1	5	5	5	2	2	3	4	4	3	3	3	5	4	4	2

駅	験	象	鳥	鳴	集	難	雑	羽	習	翌	飛	非	毛	巣	弱
3	4	5	2	2	3	6	5	2	3	6	4	5	2	4	2

西	不	至	奮	虫	蚕	魚	貝	員	負	買	売	貴	費	貴	賞
2	4	6	6	1	6	2	1	3	3	2	2	5	4	6	4

賛	賀	貿	貨	貸	賃	資	質	貧	貯	財	角	解	皮	求	革
5	4	5	4	5	6	5	5	5	5	5	2	5	3	4	6

卵	易	属	県	能	熊	鹿
6	5	5	3	5	—	—

植物 (草や木の形からできた字)

桜5	梅4	松4	乗3	査5	梨5	染6	条5	案4	栄4	束4	本1	森1	林1	木1
格5	検5	机6	札4	棒6	柱3	枚6	板3	材4	植3	樹6	枝5	根3	株6	校1	村1
由3	果4	未4	版5	片6	栃4	極4	械4	機4	橋3	様3	横3	構5	標4	権6	模6
蔵6	著6	荷3	蒸6	茶2	芸4	若6	苦3	薬3	葉3	落3	英4	花1	菜4	芽4	草1
箱3	筆3	管4	笛4	竹1	静4	青1	垂6	毒5	毎2	産4	生1	才2	茨4
移5	秒3	秋2	糖6	精5	粉5	米2	築5	簡6	等3	第3	策6	算2	答2	筋6	節4
	者3	年1	来2	麦2	香4	秘6	私6	科2	穀6	種4	積4	税5	程5

住居 (家の形からできた字)

家2	営5	館3	余5	舎5	倉4	向3	高2	京2	閣6	関4	閉6	開3	間2	戸2	門2
完4	容5	安3	守3	富5	宝6	定3	寄5	客3	宿3	室2	宣6	官4	宮3	宅6
序5	庁6	府4	度3	庭3	底4	広2	店2	庫3	写3	密6	察4	宗6	宙6	宇6	害4
市2	円1	固4	困6	因5	団5	園5	国2	図2	囲5	層6	康4	座6

自然（山や川などの自然の形からできた字）

晴2	多2	河5	消3	潔5	冬	降6	砂6	田1	空1	均5	熱4					
時2	夕	湖3	注3	清4	冷4	防5	石1	録4	穴6	然4						
幹5	望4	池2	汽2	減5	氷3	陸4	郵6	鏡4	内2	境5	照4					
暮6	朗6	永5	活2	満4	回2	限5	郷6	銭6	入1	場2	燃5	黒2				
暑3	期3	水1	油3	浅4	陽3	部3	野2	城4	焼4							
昼2	朝2	州3	深3	谷2	院3	郡4	里2	坂3	黄2	灯4						
昔3	明2	川1	湯3	港3	原2	階3	都3	博4	地2	墓5	赤1					
暴5	月1	風2	温3	漁4	泉6	阜4	厳6	鉱5	鋼6	針6	農3	画2	災5			
景4	的4	気1	潮6	演5	滋	際5	鉄3	銅5	基5	炭3						
星2	曜2	電2	波3	混5	潟	阪4	銀3	番2	灰6							
早1	暖6	申	激6	泣4	沖4	障6	金1	全3	略5	留5	堂5	型4	火1			
春2	晩6	昨4	雲2	洋3	浴4	沿6	測5	陸6	確5	町1	在5	圧5	埼			
東2	映6	雪2	海2	沿	決3	済6	陣6	破5	界3	土1	塩4					
旧5	昭3	雨1	流3	洗6	治4	岸3	隆6	研3	男1	窓6	無4					
白1	暗3	夜2	源6	泳3	山1	岩2	険5	畑3	究3	増5	熟6					
日1	外2	漢3	派6	法4	寒3	除6	磁									

道具（道具や武器の形からできた字）

皿3	血3	益5	盛6	盟6	酒3	配3	酸5	区4	医3	去3	丁3	曲4	器4	豆3	重3	置5	豊5
示5	祭3	禁5	票4	奈4	神3	社2	祖5	礼3	祝4	福3	良4	料4	量4	制5	刻6	新2	創2
罪5	署5	刀2	切2	分2	券5	列3	利4	別4	刷4	副4	則5	判5	士5	新2	南2	楽2	断3
割6	劇5	干6	単4	刊5	式3	武5	我6	戦4	王1	皇6	父2	兵4	師5	声2	必4	久5	
所3	成4	弓2	引2	強2	張3	矢2	知2	短3	旅3	族3	旗5	輪4	輸5	南2	耕5	章3	
業3	船2	航4	服3	前2	方2	車1	軍4	転3	軽4	輸5	両3	弟2	主3				
用2	同2	再6	冊4	典4	工2	亡4	予3	氏4	井4	午2	台2	処3					
童3																	

服飾（糸や布の形からできた字）

糸1	細2	紀5	経5	線2	縦6	続4	組2	結4	練3	約4	純6	給4	納6	統5	総5
縮6	織5	績5	編5	級3	綿5	絹6	紙2	絵2	紅6	緑3	絶5	終3	縄4	系6	素5
幼6	率5	変4	布5	希4	席4	帯4	常5	幕6	帳3	衣4	表3	裏6	初4	複5	補6
製5	装6	裁6	卒4	玉1	球3	理2	現5	班6	形2	参4	乱6				

その他（数や点などをあらわす字）

一1 二1 三1 四1 五1 六1 七1 八1 九1 十1 百1 千1 万2 兆4 世3 小1

少2 当2 点2 上1 中1 下1

✜ メモ ✜

✤ おうちのかたへ ✤

下村　昇

　子どもに漢字を楽しく学ばせるコツは、じつは漢字が本来もっているおもしろさを伝えることです。下村式で覚えた子どもたちは、漢字が好きになります。なぜなら、漢字は小さな部品の組み合わせでできていて、そのことを知ると、学年が進んで難しい漢字が出てきても、書き順も楽に、そして正しく覚えられるようになるからです。この本には、これまでの漢字の学習法にはみられない、いくつかの大きな特色があります。

＊字典ではなく、漢字入門の絵本です

　調べるための字典ではなく、楽しむために全体を絵本的に展開。読んでいくうちに、漢字の基本的意味が理解できます。

＊"識字欲"を刺激する「漢字ファミリー」

　なりたちのパターンを基本に、関連のある漢字をグループにまとめて「漢字ファミリー」に分け、その順に漢字をならべました。漢字学習にもっとも効果的と考えられる配列になっています。

漢字ファミリーのシンボルマーク

　人体　　動物　　植物　　住居　　自然　　道具　　服飾　その他

＊漢字の「なりたち」が基本です

　漢字をもともとの絵にもどして、わかりやすく、さらに興味深く漢字の意味を理解できるようにしました。漢字によっては、新字体となって形が変わっているものや、なりたちにさまざまな説があるものもありますので、子どもに興味や関心をもたせる観点から、理解しやすく、覚えやすい形で表現・創作してあります。

＊リズムにのった「となえかた」で漢字をイメージ化

　独自の下村式の「口唱法®」で、唱えながら筆順が覚えられます。

＊音・訓よみの例文が、理解と応用を助けます
　それぞれのよみの的確な例文を収録。漢字の理解だけでなく、文章力をつける手助けにもなります。

　以上が、この『となえて　おぼえる　漢字の本』(学年別／全6巻)の特色です。本文をちょっと読んでください。まったく新しい発想とアイデアでつくられた、字典ではなく「楽しい読み物としての漢字の本」であることがわかっていただけると思います。「漢字ファミリー」に注目しながら、全学年を通して読むと、いっそう漢字への理解が深まります。
　なお、この『となえて　おぼえる　漢字の本』にもとづき、「口唱法」による漢字の書き方の練習や、ストーリー性のある例文で漢字の生きた使い方の学習ができる『となえて かく 漢字練習ノート』(学年別／全6巻)と併用すると、さらに学習が深まります。

── 改訂版によせて ──

　本書は、1965年に出版された『教育漢字学習字典』(下村昇編著・学林書院刊)を底本として、その約10年後の1977年に誕生しました。
　子どもたちが従来の勉強方法から脱却し、なんとか楽しく、能動的・積極的に漢字の学習に身を乗りだしてくれるようにしたいという願いからつくったのですが、「口唱法」という体系的な指導法を創出するのに、最初の『教育漢字学習字典』を上梓してから、実証実験におよそ10年がかかったのです。その間、秋田県・茨城県をはじめ、諸所の国語研究会の先生方に実践検証のために多くのお力をいただきました。
　こうして、授業や家庭でも効果が実証された下村式の漢字学習法・口唱法の内容に、楽しい挿絵を絵本作家のまついのりこさんに描いていただき、できあがったのが本書です。数度の改訂を経て、今回新たな学習指導要領に沿った『漢字の本』ができあがりました。
　こんなにも長く愛される本になるとは、著者である私も驚いています。そして今では、「親子二世代この本で漢字を学びました」という声を聞いたり、小学生のみならず、幼児にも読まれているという話も聞いたりしております。大変うれしいことです。新しくなった『漢字の本』が、これから漢字を覚えるみなさんのお役に立てることを祈っています。

『となえて おぼえる 漢字の本』をつくった人

●下村 昇（しもむら・のぼる）
1933年、東京生まれ。東京学芸大学卒業。小学校教諭、東京都教科能力調査委員、全国漢字漢文研究会理事などを経て、「現代子どもと教育研究所」所長。『下村式 となえて かく 漢字練習ノート（学年別／全6巻）』『下村式 ひらがな練習ノート』（偕成社）、『ドラえもんの学習シリーズ（内5巻）』（小学館）など、漢字・国語関連の学習書や児童文学など、著書多数。2021年逝去。

●まつい のりこ
1934年、和歌山生まれ。武蔵野美術大学卒業。自分の子どもに作った手づくり絵本をきっかけに、物語性のある知識絵本や、観客参加型の紙芝居を発表。絵本『ころころぽーん』で1976年、ボローニャ国際児童図書展エルバ賞、紙芝居『おおきくおおきくおおきくなあれ』で1983年、五山賞を受賞。『じゃあじゃあびりびり』（偕成社）など、著書多数。2017年逝去。

編集協力＝本多慶子・川原みゆき
改訂協力＝下村知行・日本レキシコ・ニシ工芸
なりたち図版協力＝刑部佐知子
装丁＝ニシ工芸（小林友利香）

ご注意●この『となえて おぼえる 漢字の本』の全体および各部分は著者独自の創作です。漢字の〈なりたち〉・〈となえかた〉等を複製することは著作権法により禁止されています。また、「となえて おぼえる」および「口唱法」は登録商標です。

となえて おぼえる 漢字の本 小学1年生 改訂4版

下村 昇＝著／まつい のりこ＝絵

1977年5月初　　版1刷	1989年3月初　　版68刷
1990年3月改 訂 版1刷	2000年2月改 訂 版40刷
2002年2月改訂2版1刷	2010年6月改訂2版17刷
2011年11月改訂3版1刷	2018年1月改訂3版8刷
2019年2月改訂4版1刷	2022年10月改訂4版3刷

発行者 今村正樹　**印刷** 大昭和紙工産業　**製本** 難波製本
発行所 偕成社　〒162-8450　東京都新宿区市谷砂土原町3-5
©1977 Noboru SHIMOMURA, Noriko MATSUI　　Printed in Japan
ISBN978-4-03-920510-0　　NDC811　136p. 19cm
※落丁・乱丁本は、おとりかえいたします。